古苓光 著

文史哲學集成

周德清及其曲學研究

文史哲出版社 印行

國立中央圖書館出版品預行編目資料

周德清及其曲學研究 / 古苓光著. -- 初版. --
臺北市 : 文史哲, 民81
面 ; 公分. -- (文史哲學集成 ; 256)
參考書目:面
ISBN 957-547-118-0(平裝)

1. (元) 周德清 - 學識 - 中國戲曲

820.1　　81001361

㉖ 文史哲學集成

周德清及其曲學研究

著者：古苓光
出版者：文史哲出版社
登記證字號：行政院新聞局局版臺業字五三三七號
發行人：彭正雄
發行所：文史哲出版社
印刷者：文史哲出版社
台北市羅斯福路一段七十二巷四號
郵撥〇五一二八八一二彭正雄帳戶
電話：三五一一〇二八
實價新台幣二四〇元
中華民國八十一年三月初版

ISBN 957-547-018-0

自序

王國維《宋元戲曲史·序》中說：

凡一代有一代之文學：楚之騷，漢之賦，六代之駢語，唐之詩，宋之詞，元之曲，皆所謂一代之文學，而後世莫能繼焉者也。獨元人之曲，爲時既近，託體稍卑，故兩朝史志與四庫集部，均不著於錄；後世儒碩，皆鄙棄不復道。而爲此學者，大率不學之徒；即有一二學子以餘力及此，亦未有能觀其會通，窺其奧窔者。遂使一代文獻，鬱堙沈晦者，且數百年。

靜安先生雅好曲學，除作《宋元戲曲史》外，又有《唐宋大曲考》、《戲曲考源》、《古劇腳色考》、《優語錄》、《錄曲餘談》等戲曲論著，實開民國以來研究曲學的風氣。

曲學一門，學者研究方向各有不同，或說曲律，或訂曲譜，或編曲韻，或究曲源，或探曲史；更有從事叢編、校刊、解題、評論、鑑賞者，著作超過百餘種，近年來眞可說是風氣鼎盛，人才輩出。

研究元曲蔚爲風氣，雖是近七、八十年的事，但遠在七百多年前，周德淸已爲當時的元曲盡過一番心力。他編寫曲韻韻書，提示曲詞作法，自己也從事創作，當時翰林學士歐陽玄曾說：

> 高安周德清，通聲音之學，工樂章之詞，嘗自製聲韻若干部，樂府若干篇，皆審音以達詞，成章以協律，所謂詞律兼優者。

周德清的友人瑣非復初也說：

> 高安挺齋周德清，以出類拔萃通濟之才，為移宮換羽製作之具，所編《中原音韻》幷諸《起例》，平分二義，入派三聲，能使四方出語不偏，作詞有法，皆發前人之所未嘗發者。所作樂府、回文、集句……，皆作今人之所不能作者。……以余觀京師之目，聞雅樂之耳，而公議曰：德清之韻，不獨中原，乃天下之正音也；德清之詞，不惟江南，實當時之獨步也。

這麼一位見重於當時知音的人，後代卻對他認識不多，甚至連生卒年，家世背景也無可考究。直到西元一九七八年周德清始修的《暇堂周氏宗譜》出現，我們才能對他有了進一步的瞭解。

周德清的聲名不傳於正史，在當時也未受到應有的器重與肯定，其實是由許多客觀因素造成的。他不曾出將入相，升沈於宦海之中，所以不可能留名青史；他長期居住江南，遠離北曲盛行的京城大都，在當時影響力自然不夠；他可能囿於生活環境，作品不能和關、鄭、馬、白這些才人一較長短；他主張要用當時的「中原音」作曲，當時人卻執著於傳統韻書中的「讀書音」，或慣於使用「方音」；他說曲律、曲譜，卻不夠全面，不能和寧獻王朱權的《太和正音譜》相比；某些「曲論」流於片段，又難以和稍晚出的《曲律》、《方諸館曲律》、《度曲須知》、《閒情偶寄》等專書媲美；……這些都影響到他的聲譽，使他沈寂不顯。

但七百餘年後的今天，周德清卻成爲學術界的焦點人物。民國七十六年十月，海內外學者數十人，千里迢迢，不辭辛苦地來到窮僻的鄉野——江西省高安縣，在周德清的故居召開盛大的學術研討會，主題就在討論他那本對漢語近代音研究具有絕對影響力的《中原音韻》，也同時紀念他的七百一十歲誕辰。

筆者個人認爲：現代語言學者研究《中原音韻》，重在藉由它來瞭解漢語音韻，而《中原音韻》製作的目的卻是「正語作詞」，是爲曲學服務的，應該從曲學角度探討它的價值，這一方面，目前各家研究的比較少。現代曲學專家，往往認爲周德清在曲學上或有啓蒙、開拓之功，對曲律、曲論也只說個大概，不夠全面，甚或不夠精確，所以只能置於「參考」地位。其實，周德清的曲論精華，如「陰」「陽」字的觀念，至今還不能被人接受；「入派三聲」的原理，音韻學者至今爭論不休，而曲學家或避而不談，或去重就輕，含糊帶過。因此，周德清的曲學理論仍有待發揚。至於周德清的曲作是否合於曲律、曲譜？是否實踐了他的曲學理論？這些都是前人未曾探討過的。職是之故，筆者不揣翦陋，既參考前賢學說精華，兼述一得之愚，以期對周德清及其曲學做一全面性的瞭解。由於寫作時間促迫，失誤之處在所難免，尚祈大雅不吝指教。

本文撰寫期間，承蒙科主任周振華先生之提携鼓勵，系內老師多方指教，外子協助蒐集影印此間不易獲得的學刊資料，在此謹致謝忱。

中華民國八十一年仲春　**古苓光**謹識於國防醫學院

周德清及其曲學研究 目次

第一章 周德清的生平

周德清，《元史》無傳，明、清人提到他，多緣於所編寫傳世的《中原音韻》。明、正德十年編修《瑞州府志．方伎》中說：

周德清，工樂府，善音律，所著有《中原音韻》，虞伯生序之曰：隨時體制，不失法度。羅士信稱其詞曰：毋使如陽春白雪，徒爲寡和。

楊一潮不滿《瑞州府志》將周德清列入方伎，在萬曆十六年《重訂中原音韻序》中說：

郡志載公爲方伎，然歐陽文公、虞雍公咸悅服焉。蓋儒而逸者也！方伎云乎哉！

而康熙年間修的《高安縣志》，則收周德清於文苑傳。傳中記載：

周德清，暇堂人，工樂府，精通音律之道，所著有《中原音韻》行於世。虞伯生序之曰：隨時體制，不失法度。羅士信稱其詞曰：毋使如陽春白雪，徒爲寡和。蔡虛齋先生弁有序表之。

史料上，我們對周德清生平的瞭解僅止於此。直到西元一九七八年，周德清於元至正二年始修之《暇堂周氏宗譜》被發現，周德清的家世、生卒年才獲得較詳細的資料。現在依據《暇堂周氏宗譜》，將

其家族史及生平作一簡要的整理轉述。（注一）

一、家族源流

周智强——（四子）周輔成——（次子）周敦頤（注二）——（次子）周燾——（長子）周勤——（長子）周京（西元一一六四——一二五九）——（長子）周安（西元一一九六——一二五九）——（幼子）周季和（西元一二四八——未詳）——（三子）周德清（西元一二七七——一三六五）——（獨子）周以謙——（獨子）周用良——（獨子）周興楫——（子三人）周維揚、周維勝、周維童（注三）。

二、生平大事紀要

西元一二七七年

宋端宗景炎丁丑十一月，周德清生於暇堂。

西元一三〇八——一三一一年

周德清三二——三四歲間，子以謙生。

西元一三一一——一三一三年

周德清三十四歲，開始遊歷外地，並從事創作（注四）。

西元一三二四年

元泰定帝泰定甲子，周德清四十八歲。蕭存存託其友人張漢英問作詞之法於周德清，秋，《中原音韻》書成（注五）。書成後，曾在大都與人辯解正語作詞的準則（注六）。秋後，回江西，留滯吉安。

西元一三四一年

周德清六十五歲，《中原音韻》在吉安刊行。

西元一三四二年

周德清六十六歲，回故居修《暇堂周氏宗譜》。

西元一三五一年

周德清七十五歲。楊朝英編《朝野新聲太平樂府》，收錄周德清散曲，小令二十五首，套數三套。

西元一三六五年

元至正乙巳，周德清八十九歲。是年逝世，葬於鰲香嶺交椅山。

周德清沒有顯赫的家世，生平也無一官半職，只是一位熱衷北曲曲藝的人，所以正史上不曾留名，《府志》僅視爲「方伎」。又因爲只有少量的曲作流傳下來，所以也未被後代推爲北曲的重要作家，因而在中國文學史上無法佔得一席之位。但是歷經七百多年後的今天，周德清卻在中國學術界受到尊重，這不得不歸功於他當年的卓識，寫出一部突破傳統的韻書，也是我國最早的曲韻著作——《中原音韻》。他又總結了北曲韻律和寫作技巧，並論述諸多語言規範的問題。現代音韻學者嚴學宭在一九八七年周德清誕辰七百一十周年紀念學術討論會上說：

在漢語語音史上，周德清的《中原音韻》是繼《詩經》、《切韻》之後第三座光榮的里程碑。……周德清衝決官韻的樊籬，深深扎根於文學和語言的現實土壤，採擷漢語語音變化的訊息，不偕古昔，全面反映了中原語音的嶄新面貌，促進了漢語音韻學研究方向的轉變，開拓了漢語語音史研究的新領域。《中原音韻》不愧爲具有劃時代意義的音韻學著作，周德清不愧爲開一代學風的偉大學者。

雖然周德清的生平事蹟，我們所知道的仍然不多，但其留下的著作，在今天卻成爲重要的文化遺產。睹物思人，後人爲他開紀念會，這恐怕是周德清始所未料的事。我們只能說：其人雖已逝，其務實的精神將永留人寰。

【注釋】

注一　部分資料引自《中原音韻新論》內劉能先、劉裕黑《有關周德清幾個史實的研究》一文。

注二　周敦頤，本名敦實，避宋英宗諱改，字茂叔，即理學家所尊稱之「濂溪先生」。

注三　三人皆未婚，周德清一脈傳至第五代而斷嗣。

注四　依周德清所作散曲及《中原音韻》後序、《中原音韻正語作詞起例》等資料，其遊處多在江西、湖北兩地，如潯陽、女兒港、武昌、廬山、鄂渚等，也可能曾至大都一帶。

注五　見《中原音韻》自序。

注六　見《中原音韻正語作詞起例》第二十二條。

第二章　周德清的曲論

第一節　正語言辨音韻

一、樂府音韻與中原口語音韻不盡相同：

周德清《中原音韻正語作詞起例》中說：

凡作樂府，古人云：「有文章者，謂之樂府」，如無文飾者，謂之俚歌，不可與樂府共論也。

《中原音韻、自序》又說：

欲作樂府，必正言語，必宗中原之音。

元代無論散曲或雜劇，曲詞都要入六宮十一調，屬於樂府曲詞；從前面兩段話看來，元曲的發音應當以中原之音爲準，二者之間是相等的。但實際上並不全然如此，關鍵在於曲詞是用唱的，與口語唸出來的會有差異，而這種不同往往在入聲字上表露無遺。入聲字是短音，短音字要配合音樂的長節拍來唱，則必須延長時間而失去短音的性質，結果就變得和平、上、去三聲字音相近或相同了。因此周德清認爲樂府曲詞中的入聲字是要「派入三聲」來用的。而《中原音韻》是一本爲作樂府曲詞押韻的參考書，也就自然「入派三聲」了。周德清在《中原音韻正語作詞起例》中有好幾段話强調這一件事，如：

平上去入四聲，《音韻》無入聲，派入平上去三聲。

入聲派入平上去三聲者，以廣其押韻，爲作詞而設耳！然呼吸言語之間，還有入聲之別。

亳州友人孫德卿長於隱語，謂《中原音韻》三聲，乃四海所同者，不獨正語作詞。……余曰：……切謂言語既正，謎字亦正矣。從葺《音韻》以來，每與同志包猜，用此爲則，平上去本聲則可，但入聲作三聲，如平聲伏與扶，上聲拂與斧，去聲屋與誤字之類，俱同聲則不可。何也？入作三聲者，廣其押韻，爲作詞而設耳。毋以此爲比，當以呼吸言語還有入聲之別而辨之可也。德卿曰：然。

《中原音韻．自序》中也說：

關、鄭、白、馬一新製作，韻共守自然之音，字能通天下之語，字暢語俊，韻促音調，……諸公已矣，後學莫及，何也？蓋其不悟聲分平仄，字別陰陽。夫聲分平仄者，謂無入聲，以入聲派入平上去三聲也。作平者最爲緊切，施之句中，不可不謹。派入三聲者，廣其韻耳！有才者，本韻自足矣。

由以上四段文字，我們可以瞭解周德清認爲：曲韻沒有入聲，要派入平上去三聲，而中原地區口語中仍有入聲。至於平上去三聲的字，曲韻唱音和口語音是一致的。

二、樂府音韻當以中原之音爲準，不可泥古非今，也不可摻雜方音。

周德清强調「欲作樂府，必正言語，欲正言語，必宗中原之音。」中原之音是指當時四方通行的語音，不同於「古音」，也與只可通行於地方的「方音」不同。在力闢「古音」方面，周德清說：

余嘗於天下都會之所，聞人間通濟之言：世之泥古非今，不達時變者衆。呼吸之間，動引《廣韻》爲證，寧甘受鴂舌之誚而不悔。亦不思混一日久，四海同音，上自縉紳講論治道，及國語翻譯，國學教授言語，下至訟庭理民，莫非中原之音。不爾，止依《廣韻》呼吸，上去入聲姑置，未暇殫述，略舉平聲。如「靴」在「戈」韻，「車邪遮嗟」卻在「麻」韻；「靴」不協「車」，「車」卻協「麻」。「元暄鴛言褰焉」俱不協「先」，卻與「魂痕」同押，「煩翻」不協「寒山」，亦與「魂痕」同押。「靴」與「戈」、「車」與「麻」、「元」與「煩」、「煩」與「魂」，其音何以相着？「佳」「街」同音，與「皆」同押，不協「哈」；「哈」卻與「灰」同押。「灰」不協「揮」，「杯」不協「碑」，「梅」不協「麋」，「雷」不協「羸」；必呼「梅」爲「埋」、「雷」爲「來」，方與「哈」協。如此呼吸，非鴂舌而何？不獨中原，盡使天下之人俱爲閩海之音，可乎？切聞〈大學〉〈中庸〉，乃《禮記》中語，程子取爲二經，定其闕疑，如「在親民」之「親」字，當作「新」字之類是也。聖經尚然，況於韻乎！合於四海同音，分豁而歸併之，與堅守《廣韻》方語之徒，轉其喉舌、換

> 其齒牙。使執而不變，迂闊庸腐之儒，皆為通儒；道聽塗說，輕浮市廛之子，悉為才子矣！
>
> 余曰：若非諸賢公論如此，區區獨力，何以爭之。（注一）

這裡所說的「止依《廣韻》呼吸」，是指「泥古」的「讀書音」。有時語音會以訛傳訛，大家都習以為常，周德清甚至主張只要能溝通思想即可，按照「俗讀」也比執著「正讀」而讓人聽不懂來得好。他舉例說：

> 歡娛之「娛」（《廣韻》音「愚」），四海之人皆讀為「吳」，提撕之「撕」（《廣韻》音「西」），四海之人皆讀為「斯」。有誚之者，謂讀白字，依其邊傍字音也。犂牛之子騂且角之「騂」字（《廣韻》息營切，音「星」），而讀為辛，卻依其邊傍字音。誚之者而不誚之，蓋知其彼之誤，而不知己之謬。……「娛」「撕」二字依傍有「吳」「斯」，讀之又何害於義理？豈不長於傍是「辛」，而讀為「星」字之音乎！

周德清重「口語俗讀」而輕「書音正讀」的觀念，於此可見一斑。

中國幅員廣大，各地方音頗多分歧，周德清力主樂府當以北方「中原之音」為正，不能雜用南方閩、浙方音。他說：

> 泰定甲子秋，復聞前輩餘論：四海之人，皆稱父（去聲）母（為「姥」音）；《廣韻》父（扶雨切，上聲）母（在「有」韻）婦（亦在「有」韻）。卦（古賣切）與「怪」通，副富（敷救切，在「有」韻），「道士」呼為「討死」之類，猶平聲之所論也。

入聲以平聲次第調之，互有可調之音。且以開口「陌」以「庚」，至「德」以「登」六韻（注二），閉口「緝」以「侵」，至「乏」以「凡」九韻，逐一字調平上去入，必須極力念之，悉如今之搬演南宋戲文唱念聲腔。考自漢、魏無製韻者，按南北朝史，南朝吳、晉、宋、齊、梁、陳建都金陵，《齊史》：沈約，字休文，吳興人，將平上去入製韻，仕齊，爲太子中令。梁武帝時爲尚書僕射。詳約製韻之意，寧忍弱其本朝，而以敵國中原之音爲正耶？不取所都之內通言，卻以所生吳興之音；蓋其地鄰東南海角，閩、浙之音無疑，故有前病。且六朝所都，江、淮之間，「緝」至「乏」俱無閉口，獨浙有也。以此論之，止可施於約之鄉里矣。又以史言之，約才如此，齊爲史職，梁爲大臣，孰不行其聲韻也。歷陳，陳亡，流入中原。自隋至宋，國有中原才爵如約者何限，惜無有以辨約之韻乃閩、浙之音，而製中原之韻者，嗚呼！年年依樣畫葫蘆耳！南宋都杭，吳興與切鄰，故其戲文如樂昌分鏡等類，唱念呼吸，皆如約韻。昔陳之後庭花曲，未必無此聲也，總亡國之音，奚足爲明世法！

惟我聖朝，興自北方五十餘年，言語之間，必以中原之音爲正。鼓舞歌頌治世之音，始自太保劉公牧菴、姚公踈齋、盧公輩，自成一家，今之所編，得非其意乎！彼之沈約不忍弱者，私意也。且一方之語，雖渠之南朝，亦不可行，況四海乎！予生當混一之盛時，恥爲亡國，搬戲之呼吸，以中原爲則，而又取四海同音而編之，實天下之公論也。（注三）

周德清除了用這種強力批評式的口吻，力主「搬戲之呼吸，以中原爲則」外，他對「方音」含混處也有舉例式的描寫。如：

　龐涓呼爲龐堅，泉「堅堅」而始流可乎？陶淵明呼爲陶烟明，魚躍于「烟」可乎？一堆兒爲一醉（平聲）兒，捲起千「醉」（平聲）雪可乎？羊尾子爲羊椅子，吳頭楚「椅」可乎？來也未爲來也異，辰巳午「異」可乎？此類未能從命，以待士夫之辨。（注四）

《中原音韻正語作詞起例》第二十一條，更舉出二百多組語音對比的例子，以說明「中原音」與「方音」的差異，下面擇要抄錄下來。周德清說：

　依後項呼吸之法，庶無「之」「知」不辨、「王」「楊」不分，及諸方語之病矣。

東鍾　宗有蹤　松有鬆……

江陽　缸有釭　桑有雙……

支思　絲有師　死有史

齊微　知有之　癡有眵……（以上三聲係與「支思」分別）　篦有杯　紕有紑……（以上三聲本聲自相分別）

魚模　蘇有疎　粗有初……

皆來　猜有差　災有齋……

眞文（與庚青分別）　眞有貞　因有英……

寒山　珊有山　殘有潺……

桓歡　完有岏　官有關……

先天　年有妍　碾有輦……

蕭豪　包有褒　飽有保……

歌戈　鵝有訛　和有何……

家麻　查有咱　馬有麼……

車遮　爺有衙　也有雅……

庚青（與眞文分別）

尤侯　溲有搜　走有㤘……

侵尋　針有眞　金有斤……

監咸　菴有安　擔有單……

廉纖　詹有氈　兼有堅……

由以上周德清不憚其煩的舉例，作詞當以中原正音爲準，不可泥古，也不可用方音的意思是十分明顯的。

三、疑難字詞要正讀音

周德清對當時人不從俗讀，喜歡動輒引《廣韻》音爲標準的作法深表不滿，但也並不表示可以任意錯讀，他對某些字既有的特殊讀法，是十分注意的。比如《中原音韻正語作詞起例》第十二、十三條說：

《漢書》東方朔滑稽，「滑」字讀爲「骨」。金日磾，「日」字讀爲「密」。諸韻皆不載，亦不敢擅收。……姑錄以辨其字音耳。

《漢書》曹大家之「家」字讀爲「姑」，可押；然諸韻不載，亦不敢擅收，附此以備採取。

第二十四條「略舉釋疑字樣」，更提出了數十個特別的字音，下面略舉數例：

閼氏（音烟支）　可汗（音克寒）　冒頓（音墨特）　魯般（下音班）　樊於期（於音烏）

嫪毐（音澇靄）　角里先生（角音鹿）……

特殊字音，周德清一一說出它們的正讀，可見他對字音是非常重視的。

四、中原正音共分十九個韻類

周德清在曲學上的最大貢獻，就是編寫了《中原音韻》，他把當時曲韻韻類分爲十九部，訂名爲：一東鍾、二江陽、三支思、四齊微、五魚模、六皆來、七眞文、八寒山、九桓歡、十先天、十一蕭豪、十二歌戈、十三家麻、十四車遮、十五庚青、十六尤侯、十七侵尋、十八監咸、十九廉纖。明代著名曲論家沈寵綏主張「北叶《中原》，南遵《洪武》」，可見其權威性。周德清對不守用韻規矩的作家曾提出批評。他說：

《廣韻》入聲「緝」至「乏」，《中原音韻》無合口，派入三聲亦然，切不可開合同押。《陽春白雪集》水仙子：「壽陽宮額得魁名。南浦西湖分外清。橫斜疎影窗間印。惹詩人說到今。萬花中先綻瓊英。自古詩人愛，騎驢踏雪尋。忍凍在前村。」開合同押，用了三韻，大可笑焉。詞之法度全不知，妄亂編集板行，其不恥者如是，作者緊戒！

《中原音韻》分爲十九個韻類，這是周德清曲學的最大成就，也是他「辨音韻」後的具體成果。

第二節　識宮調明曲牌

我國舊時稱樂曲的調式爲「宮調」，唐、宋燕樂及塡詞所配合的曲子，都有一定的宮調。一般在每支曲子前面，標明宮調和曲牌名稱，每種曲牌都屬於一定的宮調，元曲也不例外。從音樂上看，有調性的任何樂曲，是由若干個基本音構成的，而音階中被用爲曲調主音的音高不同，即產生不同的調式，因此曲調的神情也就不同，或沈穩、或飄逸，或和平中正……。曲詞的內容如果能配合樂曲宮調的特性，就不會發生詞、曲不協調的現象。各種宮調音樂具有何種特性，只有精通音樂的人才容易感受到，周德清在「識宮調」上，曾就各宮調特性及各宮調所包含的曲牌，作過詳細的介紹，現在分別加以說明。

一、要明各種宮調的特性

樂曲的每一宮調，都有它的音律風格，周德清《中原音韻正語作詞起例》第二十四條說：

大凡聲音，各應於律呂，分於六宮十一調，共計十七宮調。

仙呂調　清新綿邈
南呂宮　感嘆傷悲
中呂宮　高下閃賺
黃鍾宮　富貴纏綿
正宮　惆悵雄壯
道宮　飄逸清幽
（以上六宮）
大石　風流醞藉
小石　旖旎嫵媚
高平　條物滉漾
般涉　拾掇坑塹
歇指　急併虛歇

商角　悲傷宛轉

雙調　健捷激裊

商調　悽愴怨慕

角調　嗚咽悠揚

宮調　典雅沈重

越調　陶寫冷笑

（以上十一調）

這十七種宮調的特性，可能不是周德清的創見，而是引用元人燕南芝菴《唱論》中的說法（注五），但無論如何，周德清認爲要重視曲樂特性是無庸置疑的。

二、要知各曲牌所專屬的宮調

每一個曲牌，都屬一定的宮調，宮調性質既明，依各宮調所作的曲子自然也就符合該宮調的特性，不能稍加假借。周德清曾彙集三百三十五首樂府曲子，將它分列於十七種宮調內，這是現在所知最早的分類，後來也全被《太和正音譜》所採用。雖然它應該只是一種整理工作，但從現存的元人散曲和雜劇中，有些曲牌，不是只屬於一個宮調，而是分別屬於幾個不同宮調的現象看來，周德清的歸納，實際上已經表現出他曲學上的嚴明立場。下面就將周德清的曲牌歸派抄錄下來，並註明元人實際使

用的情形。（注六）

黃鍾二十四章

醉花陰　喜遷鶯　出隊子　刮地風　四門子　水仙子　寨兒令　神仗兒（亦作煞）　節節高
者剌古　願成雙　賀聖朝（陶云：與中呂、商調出入。）　紅錦袍（即紅衲襖）　晝夜
樂　人月圓　綵樓春（即抛毬樂）侍香金童（陶云：與商調出入。鄭云：與商調不同。）
降黃龍衮　雙鳳翹（即女冠子）（陶云：與大石出入。鄭云：與大石不同。）　傾盃序
文如錦（鄭云：諸宮調入雙調。）　九條龍　興隆引　尾聲

正宮二十五章

端正好（鄭云：亦入仙呂。）　衮繡毬（亦作子母調）（鄭云：亦入中呂。）　倘秀才（亦
作子母調）（鄭云：亦入中呂。）　靈壽杖（即呆骨朵）（鄭云：亦入中呂。）　叨叨令
塞鴻秋（陶云：與仙呂、中呂出入。）　脱布衫（陶云：與中呂出入。）　小梁州（陶
云：與中呂出入。鄭云：亦入商調。）　醉太平（陶云：與仙呂、中呂出入。）　伴讀書
（即村裡秀才）（陶云：與中呂出入。）　笑和尚（鄭云：亦入中呂。）　白鶴子（陶云
：與中呂出入。）　雙鴛鴦（陶云：與中呂出入。）　貨郎兒（入南呂轉調）（陶云：與
仙呂出入。）　蠻姑兒（陶云：與中呂出入。）　窮河西（陶云：與中呂出入。鄭云：亦
入商調。）　芙蓉花　菩薩蠻（陶云：與中呂出入。）　黑漆弩（即學士吟鸚鵡曲）　月

照庭　六么遍（即柳梢青）〔陶云：與仙呂出入。鄭云：亦入中呂，格式小異。與仙呂不同。〕　甘草子　三煞　啄木兒煞（亦入中呂）　煞尾〔陶云：與中呂、南呂、大石出入。鄭云：亦入黃鍾。〕

大石調二十一章

六國朝　歸塞北（即望江南）〔陶云：與仙呂出入。〕　卜金錢（即初問口）　怨別離　雁過南樓　催花樂（即擂鼓）　淨瓶兒　念奴嬌　喜秋風　好觀音（亦作煞）〔陶云：與仙呂出入。〕　青杏子〔陶云：本小石調。鄭云：亦入仙呂。〕　蒙童兒（即憨郭郎）　還京樂　茶蘼香　催拍子　陽關三疊　驀山溪　初生月兒　百字令　玉翼蟬煞　隨煞〔陶云：與黃鍾、仙呂、雙調、越調出入。鄭云：與仙呂、越調不同。〕

小石調五章

青杏兒（即青杏子，亦入大石調）〔鄭云：亦入仙呂。〕　天上謠　惱煞人　伊州遍　尾聲

仙呂四十二章

端正好（楔兒）　賞花時〔陶云：與商調出入。〕　八聲甘州　點絳唇　混江龍　油葫蘆　天下樂　那吒令　鵲踏枝　寄生草〔陶云：與雙調出入。鄭云：亦入商調。〕　六么序〔陶云：與中呂出入。〕　醉中天〔陶云：與雙調出入。鄭云：亦入越調。〕　金盞兒（即醉金盞）　醉扶歸〔鄭云：亦入越調、雙調。〕　憶王孫　一半兒　瑞鶴仙　憶帝京　村

裡迓古〔陶云：與商調出入。〕　元和令〔陶云：與商調出入。〕　上馬嬌〔陶云：與商調出入。〕　遊四門〔陶云：與商調出入。〕　勝葫蘆〔陶云：與商調出入。〕　後庭花（亦作煞）〔陶云：與商調出入。〕　柳葉兒〔陶云：與商調出入。〕　青哥兒〔陶云：與商調出入。鄭云：亦入雙調。〕　翠裙腰　六么令〔陶云：與中呂出入。〕　上京馬〔鄭云：亦入商調。〕　祆神急　大安樂　綠窗愁　穿窗月　四季花〔陶云：與商調出入。〕　雁兒〔陶云：與商調出入。〕　玉花秋　三番玉樓人（亦入越調）　錦橙梅　雙雁子　太常引　柳外樓　賺煞尾

中呂三十二章

粉蝶兒　叫聲〔鄭云：亦入正宮。〕　醉春風〔鄭云：亦入正宮，雙調。〕　迎仙客〔鄭云：亦入正宮。〕　紅繡鞋（即朱履曲）〔陶云：與正宮出入。〕　普天樂〔陶云：與正宮出入。〕　醉高歌〔鄭云：亦入正宮。〕　喜春來（即陽春曲）〔陶云：與正宮出入。〕　石榴花〔鄭云：亦入正宮。〕　鬥鵪鶉〔鄭云：亦入正宮。〕　上小樓〔陶云：與正宮出入。〕　滿庭芳〔陶云：與正宮、仙呂出入。〕　十二月〔陶云：與正宮出入。〕　堯民歌〔陶云：與正宮出入。〕　快活三〔陶云：與正宮出入。〕　鮑老兒〔陶云：與正宮出入。〕　古鮑老〔鄭云：亦入正宮。〕　紅芍藥　剔銀燈〔陶云：與正宮出入。〕　蔓菁菜〔陶云：與正宮出入。〕　柳青娘〔陶云：與正宮出入。〕　道和（即道合）〔陶云

：與正宮出入。〕朝天子（即謁金門）〔陶云：與正宮出入。鄭云：亦入雙調。〕四邊靜〔陶云：與正宮出入。〕齊天樂〔鄭云：亦入正宮。〕紅衫兒〔鄭云：亦入正宮。〕蘇武持節（即山坡裡羊）〔陶云：與黃鍾出入。〕賣花聲（即昇平樂，亦作煞）〔鄭云：亦入雙調。〕四換頭〔陶云：與正宮出入。〕攤破喜春來　喬捉蛇　煞尾〔陶云：與正宮、南呂、大石出入。〕

南呂二十一章

一枝花（即占春魁）　梁州第七　隔尾〔陶云：與中呂出入。鄭云：亦入黃鍾。〕牧羊關　菩薩梁州　玄鶴鳴（即哭皇天）　烏夜啼　罵玉郎　感皇恩　採茶歌（即楚江秋）　賀新郎　梧桐樹〔陶云：與雙調出入。〕紅芍藥　四塊玉　草池春（即鬥蝦蟆）　鵪鶉兒　閱金經（即金字經）〔陶云：與雙調出入。〕翠盤秋（亦入中呂，即乾荷葉）　玉交枝〔陶云：與雙調出入。〕煞〔陶云：與正宮、中呂、大石出入。〕黃鍾尾〔鄭云：亦入黃鍾、正宮。〕

雙調一百章

新水令　駐馬聽　喬牌兒　沈醉東風　步步嬌（即潘妃曲）　夜行船　銀漢浮槎（即喬木查）　慶宣和　五供養　月上海棠　慶東原　撥不斷（即續斷絃）　攪箏琶　落梅風（即壽陽曲）　風入松　萬花方三臺　雁兒落（即平沙落雁）〔陶云：與商調出入。〕德勝令

(即陣陣贏、凱歌回)〔陶云：與商調出入。〕　水仙子(即凌波仙、湘妃怨、馮夷曲)〔陶云：與南呂出入。鄭云：亦入中呂。〕　大德歌〔陶云：與商調出入。〕　鎮江廻〔陶云：與中呂出入。〕　殿前歡(即小婦孩兒、鳳將雛)　滴滴金(即甜水令)　折桂令(即秋風第一枝、天香引、蟾宮曲、步蟾宮)　清江引〔陶云：與仙呂出入。〕　春閨怨〔陶云：與商調出入。〕　牡丹春〔陶云：與商調出入。鄭云：亦入正宮。〕　漢江秋(即荊襄怨)　小將軍〔陶云：與仙呂出入。〕　慶豐年　太清歌　小陽關　搗練子(即胡搗練)　秋蓮曲　掛玉鈎序　荊山玉(即側磚兒)〔陶云：與南呂出入。鄭云：亦入黃鍾〕　竹枝歌〔陶云：與南呂出入。〕　沽美酒(即瓊林宴)　太平令〔鄭云：亦入正宮。〕　快活年　亂柳葉〔陶云：與中呂出入。〕　豆葉黃　川撥棹　七弟兄　梅花酒　收江南　掛玉鈎(即掛搭沽)　早鄉詞　石竹子　山石榴　醉娘子(即醉也摩挲)　駙馬還朝(即相公愛)　胡十八　一錠銀　阿納忽　小拜門(即不拜門)　慢金盞(即金盞兒)　大拜門　也不羅(即野落索)　小喜人心　風流體〔陶云：與中呂出入。〕　古都白　唐兀歹　河西水仙子　華嚴讚　行香子　錦上花　碧玉簫　祆神急　驟雨打新荷　駐馬聽近　金娥神曲　神曲纏　德勝樂〔陶云：與仙呂出入。〕　大德樂　楚天遙　天仙令　新時令　阿忽令　山丹花　十棒鼓　殿前喜　播海令〔陶云：與中呂出入。鄭云：廣正注云：「與中呂不同。」〕　大喜人心　醉春風〔鄭云：借自中呂。〕　間金四塊玉　減字木蘭

兒 高過金盞兒 對玉環 青玉案 魚遊春水〔鄭云：大成入小石調。廣正注云：「亦入仙呂、商調。」〕 秋江送 枳郎兒 河西六娘子 皂旗兒 本調煞 鴛鴦煞 離亭宴帶歇指煞 收尾〔陶云：與正宮、南呂、越調出入。〕 離亭宴煞

越調三十五章

鬥鵪鶉 紫花兒序 金蕉葉 小桃紅 踏陣馬 天淨紗 調笑令〔即含笑花〕 禿厮兒〔即小沙門〕 聖藥王 麻郎兒 東原樂 絡絲娘 送遠行 綿荅絮 拙魯速 雪裡梅 古竹馬〔陶云：與南呂出入。〕 鄆州春 眉兒彎 酒旗兒〔陶云：與商調出入。〕 青山口 寨兒令〔即柳營曲〕 黃薔薇 慶元貞 三臺印〔即鬼三台〕〔陶云：與中呂出入。〕 凭闌人 耍三台 梅花引 看花回 南鄉子 糖多令 雪中梅 小絡絲娘 煞〔陶云：與黃鍾、仙呂、雙調、大石出入。〕 尾聲

商調十六章

集賢賓 逍遙樂 上京馬 梧葉兒〔即知秋令〕〔鄭云：亦入仙呂。〕 金菊香 醋葫蘆 掛金索〔陶云：與黃鍾出入。〕 浪來裡〔亦作煞〕 雙雁兒〔陶云：與仙呂出入。〕 望遠行 鳳鸞吟〔陶云：與仙呂出入。〕 玉袍肚〔亦入雙調〕 秦樓月 桃花娘 高平煞 尾聲

商角調六章

黃鶯兒　踏莎行　蓋天旗　垂絲釣　應天長　尾聲

般涉調八章

哨遍（鄭云：亦入中呂。）　臉兒紅（即麻婆子）　牆頭花　瑤臺月　急曲子（即促拍令）　耍孩兒（即魔合羅）（鄭云：亦入正宮、中呂、雙調。）　煞（鄭云：亦入正宮、中呂、雙調。）　尾聲（與中呂煞尾同）（鄭云：亦入正宮、南呂、越調。）

以上三百三十五首曲子，周德清認爲只有「啄木兒煞」、「青杏兒」、「三番玉樓人」、「翠盤秋」、「玉袍肚」、般涉調的「尾聲」等六首，可以同時適用兩種宮調；而元末明初的陶宗儀，除了認同周德清上面各曲的一首兩收外，以爲可以用於兩種宮調的曲子還有七十一首，用於三種或四種宮調的曲子各四首，用於五種宮調的曲子有兩首。依照近代學者鄭騫先生的《北曲新譜》，除了指出陶宗儀的錯誤外，認爲元人實際的使用情形是：一曲同用於兩種宮調的多達八十四首，用於三種宮調的有二十二首，用於四種宮調的有五首，用於五種宮調的有六首。

造曲之初，每首都只屬於一種宮調，每一宮調的音樂各有特性，如果一首曲子用不同宮調來演奏，勢必會破壞該曲原有的風貌，如「賀聖朝」，本用「富貴纏綿」的「黃鍾宮」，有時又用到屬性「高下閃賺」的「中呂」或「悽愴怨慕」的「商調」，如此，樂曲的原創藝術性就大爲減弱。元人散曲或雜劇中雖然曲子可以用不同的宮調來演奏，但我們從周德清所列相通的曲子極少的事實看來，他强調曲牌屬某宮調，不可任意假借的意圖是極爲明顯的。

三、釐清名同調異曲目

元人同一曲牌可以奏入不同的宮調，但也有曲牌名相同，音律卻不同的情形，周德清把常見的列舉出來，《中原音韻正語作詞起例》中說：

名同音律不同者一十六章

黃鍾水仙子　雙調水仙子　黃鍾寨兒令　越調寨兒令　仙呂端正好　正宮端正好　仙呂袄神急　雙調袄神急　仙呂上京馬　商調上京馬　中呂鬥鵪鶉　越調鬥鵪鶉　中呂紅芍藥　南呂紅芍藥　中呂醉春風　雙調醉春風

這對只按曲塡詞，卻不懂音律者來說，是一項重要的提示。（注七）

第三節　作詞十法

周德清的曲論，除去前兩節所述散見於《中原音韻正語作詞起例》中的文字外，最有系統的就是他的「作詞十法」了。（注八）

「作詞十法」小序說：

作樂府，切忌有傷於音律。……不傷於音律者，不爲害也。大柢先要明腔，後要識譜，審其音而作之，庶無劣調之失。而知韻、造語、用事、用字之法，名人詞調可爲式者，幷列于後。

「十法」是指「知韻」、「造語」、「用事」、「用字」、「入聲作平聲」、「陰陽」、「務頭」、「對偶」、「末句」和「定格」十項，任納《作詞十法疏證》中說：

作詞十法，細按之，論點僅爲知韻、造語、用事、用字四項而已。五入作平、六陰陽、七務頭、九末句，同爲四聲關係，皆可歸四知韻。八對偶，則造語之一也。惟定格評語所論，有關於用意，而在聲韻字句之外者。此十法之大概也。

下面就將「十法」分「知音」、「造語」、「用事」、「用字」四項作一敍述。（注九）

一、知音

周德清首先對樂府曲詞唱音的聲調種類作出說明，他說：

知韻——無入聲，止有平上去三聲。

平聲——有陰有陽，入聲作平聲，俱屬陽。

上聲——無陽無陰，入聲作上聲亦然。

去聲——無陰無陽，入聲作去聲亦然。

平聲分陰平、陽平，上、去聲不分陰陽，只有一調；入聲派入陽平、上聲、去聲，這是周德清曲學音律上發前人所未發的重要創說。其次在「入聲作平聲」一項下說：

入聲作平聲——施於句中，不可不謹，皆不能正其音。

文中又舉了七個例子：

澤國江山入戰圖——第一澤字無害。

紅白花開烟雨中——第二白字。

瘦馬獨行眞可哀——第三獨字若施於「仄仄平平仄仄平」之句則可，施於他調皆不可。

人生七十古來稀——第四十字。

點溪荷葉疊青錢——第五疊字。

劉項元來不讀書——第六讀字。

鳳凰不共雞爭食——第七食字。

這段話在强調兩個觀念，一是入聲可以唱作平聲，周德清《中原音韻．序》中說：

有句中用入聲不能歌者。……入聲於句中不能歌者，不知入聲作平聲也。

在此就特別强調入聲可以唱作平聲字音。其次是「入聲作平聲」爲權宜措施，實際的唱音和平聲仍有相當的差異，所以「不可不謹」行之。《中原音韻．序》也强調這點：

聲分平仄者，謂無入聲，以入聲派入平上去三聲也。作平者最爲緊切，施之句中，不可不謹。派入三聲者，廣其韻耳，有才者，本韻自足矣。

周德清不特別强調入作上、入作去，只强調入作平「不可不謹」，就是因爲唱來「不能正其音」的緣故。（注一〇）平聲分「陰陽」，這是周德清曲論的一個重點，他在「陰陽」一法下舉例說：

用陰字法——「點絳唇」首句韻脚必用陰字，試以「天地玄黃」爲句歌之，則歌「黃」字爲「荒」字，非也。若以「宇宙洪荒」爲句，協矣！蓋「荒」字屬陰，「黃」字屬陽也。

用陽字法——「寄生草」末句七字內，第五字必用陽字，以「歸來飽飯黃昏後」爲句歌之，協矣！若以「昏黃後」歌之，則歌「昏」字爲「渾」字，非也。蓋「黃」字屬陽，「昏」字屬陰也。

陰平與陽平的字調，在元代中原地區口語音裡是有分別的，明代王驥德《方諸館曲律》「論陰陽」中說：

夫自五聲之有清濁也：清則輕揚，濁則沈鬱。周氏以清者爲陰，濁者爲陽，故於北曲中凡揭起字，皆曰陽，抑下字，皆曰陰。

如果此說可信，那麼中原地區陰平字可能是升調，陽平可能是降調。配合既有的曲子，陰、陽平字如果選用不當，會有什麼不良後果呢？王驥德又說：

今借其所謂陰陽二字而言，則曲之篇章句字，既播之聲音，必高下抑揚，參差相錯，引如貫珠，而後可入律呂，可和管絃。倘宜揭也而或用陰字，則聲必欺字，宜抑也而或用陽字，則字必欺聲；陰陽一欺，則調必不和，欲詘調以就字，則聲非其聲，欲易字就調，則字非其字矣。毋論聽者逆耳，抑亦歌者棘喉。

陰、陽字使用不當，其影響可謂至鉅。周德清立「用陰字法」、「用陽字法」，可說是立意幽遠，深得曲學三昧！關於陰、陽平字，周德清在他處也多次提到，現在抄錄於後，可以和「陰陽」一條互相發明。

歌其字音非其字者，合用陰而陽、陽而陰也。（《中原音韻、自序》）

謳者歌樂府「四塊玉」，至「彩扇歌，青樓飲」，宗信止其音，而謂予曰：「『彩』字對『青』字，而歌『青』字爲『晴』，吾揣其音，此字合用平聲，必欲揚其音，而青字乃抑之，非也。疇昔嘗聞蕭存存言，君所著《中原音韻》，迺正語作詞之法，以別陰陽字義，其斯之謂歟？細詳其調，非歌者之責也。」予因大笑，越其席捋其鬚而言曰：「信哉吉之多士，而君又士之俊者也。……能正其語之差，顧其曲之誤，而以才動之之者鮮矣哉！」（《中原音韻》後序）

「陶」字屬陽，協音；若以「淵明」字，則「淵」字唱「元」字，蓋「淵」字屬陰。（「定格」四十首之一）

妙在「君」字屬陰。（「定格」四十首之四）

「思」字屬陰。（「定格」四十首之七）

妙在「芙」字屬陽。（「定格」四十首之十）
「調」字「遲」字俱屬陽，妙！（「定格」四十首之十一）
「義」字屬陰，妙。（「定格」四十首之十二）
「纏」字屬陽，妙。（「定格」四十首之十六）
妙在「長」字屬陽。（「定格」四十首之十九）
若得「天」字屬陽，更妙。（「定格」四十首之二十一）
「看」字屬陰，妙。（「定格」四十首之二十七）
妙在「陽」字屬陽以起其音。（「定格」四十首之二十八）
務頭在「德勝令」起句頭字要屬陽。（「定格」四十首之二十四）
「黃」字急接，且要陽字好。（「定格」四十首之二十五）
妙在「彭」字屬陽。（「定格」四十首之三十六）
妙在「色」字上聲以起其首；平聲便屬第二，平聲若是陽字，僅可；若是陰字，愈無用矣。（「定格」四十首之三十九）

周德清斤斤計較於陰、陽字得失之間，可知與唱曲關係密切，用的正確，則聽得其字，用的不當，則唱非其聲，聲非其字了。周德清在音律上又創「務頭」一項，他說：

要知某調某句某字是務頭，可施俊語於其上，後註於定格各調內。

「定格」四十首中，有二十六首提到務頭的文字，今抄錄如下：

「虹蜺志」「陶潛是」，務頭也。（第一首）

第四句，末句，是務頭。（第二首）

第四句，末句，是務頭。（第三首）

妙在七字「黃鶴送酒仙人唱」，俊語也。況「酒」字上聲，以轉其音，務頭在其上。（第六首）

妙在「倚」字上聲起音，一篇之中，唱此一字，況務頭在其上。（第七首）

前詞務頭在「人」字，後詞妙在「口」字上聲，務頭在其上。（第八、九首）

妙在「芙」字屬陽，取務頭。……又第八句是務頭。（第十首）

妙在……「扇」字去聲取務頭。（第十二首）

務頭在後詞起句。（第十三首）

務頭在第二句及尾，「可曾」，俊語也。（第十四首）

妙在「點」「節」二字上聲起音。務頭在第二句及尾。（第十五首）

「纏」字屬陽，妙！……務頭在第二句及尾。

「紙」字上聲起音，務頭在上，及「感皇恩」起句，至斷腸句上。（第十七、十八、十九首）

務頭在三對末句收之。（第二十首）

音律瀏亮，貴在「却」「濕」二字上聲，音從上轉取務頭也。（第二十一首）

務頭在第七句至尾。（第二十二首）

兼三字是務頭。（第二十三首）

妙在「小」字上聲，務頭在上。（第二十六首）

妙在「陽」字屬陽，以起其音，取務頭。（第二十八首）

務頭在三對。（第三十首）

「冷」字上聲，妙，務頭在上。（第三十二首）

務頭在「德勝令」起句，頭字要屬陽。（第三十三首）

務頭在對起及尾。（第三十七首）

「安排」上「天地」二字，若得去上爲上，上去次之，餘無用矣，蓋務頭在上。（第三十九首）

所謂「務頭」，王驥德《方諸館曲律》說得最明白：

「務頭」之說，《中原音韻》於北曲臚列甚詳，南曲則絕無人語及之者。然南北一法，係是調中最緊要句子。凡曲遇揭起其音，而宛轉其調，如俗之所謂「做腔」處，每調或一句，或二、三句，每句或一字或二、三字，即是務頭。《墨娥小錄》載：務頭，調侃曰「喝采」。又詞隱先生嘗爲余言：吳中有唱了這高務，語意可想矣。舊傳「黃鶯兒」第一、七字句是務頭，以此類推，餘可想見。古人凡遇務頭，輒施俊語，或古人成語一句其上，否則詆爲不分務頭，非曲所貴。周氏所謂：如衆星中顯一月之孤明也。……今大略令善歌者，取人間合律腔好曲，反復歌唱，諦其曲折，以詳定其句字，此取務頭一法也。

務頭本來是音樂轉折精彩處，作詞者必須把握住，並寫下合於曲律的字句，使得樂曲之美與文字之美結合，而相得益彰，否則一有參差，必減聲色。所以務頭的句子必須「施俊語」，務頭的字詞、四聲也一定要講求，使得曲調美聽，文字也精譬拔卓。關於「知音」的最後一項，就是「末句」問題。周德清說：

末句，「詩頭曲尾」是也。如得好句，其句意盡可爲末句。前輩已有「某調末句是平煞，某調末句是上煞，某調末句是去煞」，照依後項用之。夫平仄者，平者平聲，仄者上去聲也。後云「上」者，必要上；「去」者，必要去；「上去」者，必要上去；「去上」者，必要去上。「仄仄」者，上去、去上，皆可。上上、去去若得迴避，尤妙！若是造句且熟，亦無害。

周德清列舉出六十七個曲牌末句的平仄規矩，以下抄錄數例：

去上（去平屬第二，切不可上平）　慶宣和

仄平平　雁兒落　漢東山

平去平（平去上屬第三）　山坡羊　四塊玉

仄仄平平　折桂令　水仙子　殿前歡　喬木查　普天樂

……

任訥《作詞十法疏證》說：

曲尾最要緊，因音節較美，每每即務頭所在，故文字必緊，而平仄必嚴也。末句固重，而末字尤重，去聲則必去聲也。特譜式有定，而作者爲求下筆便利，每不依從，是不獨後人爲然，元人且然矣。學者要不宜藉口于彼，而鹵莽滅裂，抹殺此定格也。

爲配合音樂的結束，末句不但文意要美，平仄也必須配合得當，甚至還要講求上去不紊，這就是制作「末句」的重要原則。

二、造語

文學靠文字來表達，累字成句，積句而成篇，語意的善惡當否，直接影響到文學的品質。元曲有他特殊的欣賞對象、表演方式與流行區域，所以在「造語」上也不同於詩、詞、文、賦。周德清認爲作詞造語有「可作」「不可作」和「忌」語三項要注意，現在分別抄錄說明於下：

可作

樂府語　經史語　天下通語

未造其語，先立其意；語意俱高爲上。短章辭既簡，意欲盡。長篇要腰腹飽滿，首尾相救。造語必俊，用字必熟。太文則迂，不文則俗。文而不文，俗而不俗，要聳觀，又聳聽，格調高，音律好，襯字無，平仄穩。

任訥對「文而不文，俗而不俗」的解釋爲：

文而不文，俗而不俗，是曲之天然現象。蓋詞經解放而爲曲，原以俗爲主。惟曲爲合樂之韻文，曲調句法有定，純粹語體，勢難處處合調。雖有襯字辦法，終不足以救濟，有非雜以文言不可者也。以俗爲主，而需文爲輔，於是不文不俗之現象，一定而不可移易矣！

周德清認爲「不可作」者如下：

不可作

俗語　蠻語　謔語　嗑語　市語　方語　書生語　譏誚語　全句語　构肆語　張打油語　雙聲疊韻語　六字三韻語

以上各類，他也有所說明：

方語：各處鄉談也。

書生語：書之紙上，詳解方曉，歌則莫知所云。

譏誚語：諷刺，古有之，不可直述，託一景，記一物，可也。

全句語：短章樂府，務頭上不可多用全句，還是自立一家言語爲上。全句語者，惟傳奇中務頭上，用此法耳。

构肆語：不必要上紙，但只要好聽。俗語謔語市語皆可。前輩云：「街市小令，唱尖新茜意，成文章曰樂府」是也。樂府小令兩途，樂府語可入小令，小令語不可入樂府。

張打油語：吉安龍泉縣水渰米倉，有于志能號無心者，欲縣官利塞其口，作「水仙子」示人，自謂得意。末句云：「早難道水米無交。」觀其全集，自名之曰樂府，悉皆此類。士大夫評之曰：「此乃張打油乞化出門語也，敢曰樂府？」作者當以爲戒。

雙聲疊韻語：如「故國觀花君未歸」是也。夫樂府貴在音律瀏亮，何乃反入艱難之鄉？此體不可無，亦不可專意作而歌之，但可构肆中白念耳。

六字三韻語：前輩周公攝政傳奇「太平令」云：「口來，豁開、兩腮」，西廂記「麻郎么篇」云：「忽聽、一聲、猛驚」，「本宮、始終、不同」，韻腳俱用平聲。若雜一上聲，更屬第二著，皆於務頭上使。近有「析桂令」，皆二字一韻，不分務頭，亦不喝采，全淳則已，若不淳，則句句急口令矣，所謂畫虎不成反類犬也。殊不知前輩止於全篇中務頭上使，以別精粗，如眾星中顯一月之孤明也，可與識者道。

至於「忌」語方面，包括「語病」、「語澀」、「語粗」和「語嫩」四項，周德清自己解釋說：

語病：如達不著主母機，有答之曰：「燒公鴨亦可」，似此之類，切忌。

語澀：句生硬而平仄不好。

語粗：無細膩俊美之言。

語嫩：謂其言太弱，既庸且腐，又不切當，鄙猥小家而無大氣象也。

周德清對曲詞「造語」上的要求甚多，都是發前人所未發；明代曲論家王驥德《方諸館曲律》也立「曲禁」一項，大部分承襲了上述的說法，周德清在這點上可說是一位開學理的先進。另外在「定格」四十首中，周德清對一些著名曲作的「造語」也有過一些贊詞，如：

命意、造語、下字俱好。（第一首）

妙在七字「黃鶴送酒仙人喝」，俊語也。（第六首）

「陣有贏輸」，「扇有炎涼」，俊語也。（第二十六首）

……

這些都和「造語」有關，但因爲屬於印象式的評論，不算具體的說明，所以在此不具引。

三、用事

周德清對作詞「用事」一項只有一句原則性的提示，即：

明事隱使，隱事明使。

任訥對這八個字解釋說：

此層原與詩詞無別，若就曲一方面詳言之，則仍可引王氏《曲律》之語，《曲律》論用事亦曰

：「明事暗使，隱事顯使。」又曰：「有一等事，用在句中，令人不覺，如禪家所謂撮鹽水中，飲水乃知鹹味，方是妙手。」此可作「明事隱使」一層註解。又曰：「務使唱去人人都曉，不須解說。」此可作「隱事明使」一層註解。凡歌詞看去人人都曉者，唱去未必人人都曉。此處當着重「唱去」二字，韻文降而至曲，所以重用白話，而大爲解放者，無非爲唱與人人都曉二事耳：亦即上文所謂曲之致用在廣、在普遍之意也。清・馮班《鈍吟文稿》云：「曲子以聲爲主，其詞不離本色；場上之曲，與科介相應，優兒敷粉墨而歌，欲得俚童野老，哭忭不禁，斯爲能事。若三人不解，則工而無所施矣。」其言正與此合。

周德清既重曲的文學性，又不忽略曲的實用功能，所提出的八字訣，在曲論家似已成爲不刊之論。

四、用字

周德清認爲曲詞用字，不可用「生硬字」、「太文字」、「太俗字」與太多的「襯墊」字。「襯墊字」下，他解釋說：

> 套數中可摘爲樂府者能幾？每調多則無十二、三句，每句七字而止，卻用襯字加倍，則刺眼矣。倘有人作出協音俊語無此節病，我不及矣。緊戒勿言，妄亂板行。「塞鴻秋」末句本七字，有云：「今日箇病懨懨剛寫下兩箇相思字」，卻十四字矣。此何等句法，而又托名於時賢，沒與遭此誚謗，無爲雪寃者。

元代曲詞是配樂歌唱的，用襯字，自然容易「妄亂板行」，如果「襯字加倍」於正文，它的音樂連貫性即遭破壞，所以不能多用。王驥德說：

細調板緩，多用二、三字尚不妨，緊調板急，若用多字，便躲閃不迭。

意見和周德清是一致的。

總觀「作詞十法」，是周德清就曲詞的音韻、造語、用事、用字做細密的分析後，商訂法度，立下規箴，以便後學取則。這一部分的曲論，爲明、清以來的曲學立下良好基礎，對曲學奠基之功實不可沒。

第四節 周德清曲論在中國曲學上的貢獻

元代散曲、雜劇極爲風行，因爲曲體淺俗，作家又以失意潦倒文士居多，所以一向不受正統文學（如賦、詩、文）研究者重視。以曲名家者，對作曲法又往往祕而不傳，也對曲學產生了負面作用。吳梅《顧曲麈談》中曾說：

嘗疑古今曲家，自金源以迄今日，其間享大名者，不下數百人，所作諸曲，其膾炙人口者，亦不下數十種，而獨於塡詞之道則缺焉不論，遂使千古才人欲求一成法而不可得，……余深思其故，乃知有一大病也。其病維何？曰務求自秘而已矣。從來文章之事，就其高深言之，各有見到之處，父不能傳諸子，師不能傳諸弟，此固難言，不足深責。惟規矩準繩必須耳提面命，才能有所步趨。今一切不講，使人暗中捫索，保無有歧誤之事，在秘而不宣者，以爲塡詞之法，非盡人所能，且此法無人授我，我豈肯獨傳於人，寧箝吾舌，使人莫明其妙，而吾略爲指點之，則人將以關、馬、鄭、白尊我矣！此所以迄無成書也。

周德清的《中原音韻》、《中原音韻正語作詞起例》可以說是早期能「獨傳其秘」的心得之作，他的曲論在中國曲學上十分突出，下面就將其貢獻作一敘述。

一、建立作詞的正音規範

在周德清《中原音韻》成書以前，金元劇曲、散曲並沒有韻書作爲規範。大致說來，因爲曲是通俗文學，不能脫離群眾獨立，所以用的應是「活語言」，押的韻也不會離實際語音太遠；但任其自由發展，倒不如遵行韻書來得有憑有據，更何況當時也存在著方音，規範性韻書就有其存在價値了。從方言歧異上說，周德清曾舉出當時有人「涓」唸「堅」、「淵」唸「烟」、「堆」唸「醉（平聲）」、「尾」唸「椅」及「之」、「知」，「宗」、「蹤」，「絲」、「師」，「粗」、「初」，「眞」、「貞」，「針」、「眞」，「貪」、「灘」，「尖」、「煎」……不分的現象。也提出了南戲音和北方中原之音不同，他說：

南宋都杭，吳興與切鄰，故其戲文如樂昌分鏡等類，唱念呼吸，皆如約韻。……惟我聖朝，興自北方，五十餘年，言語之間，必以中原之音爲正，鼓舞歌頌，治世之音，始自太保劉公牧菴、姚公疏齋、盧公輩，自成一家，今之所編，得非其意乎！

可見正音實有必要。再從作詞押韻上說，有些作家使用「寬式押韻」，這種現象周德清也是大不以爲然的，如前引《陽春白雪集》的例子即是。根據今人的研究，周德清所推崇的作家白樸，某些曲詞押韻也有超越《中原音韻》十九部的例子，其中包括了「東鍾」、「庚青」互押，「支思」、「齊微」互押，「歌戈」與「蕭豪」、「魚模」互押，「先天」與「寒山」、「桓歡」互押，「廉纖」、「先天」互押，「監咸」、「寒山」互押，「眞文」、「侵尋」互押。（注一一）「寬式押韻」影響到韻律，所以周德清歸納的十九個韻部，就有追求音韻美感的積極作用。從明代以後，南北曲有「北從《中原》，南從《洪武》」的說法，北曲作家一直恪守《中原音韻》而不敢踰越，周德清建立了作詞的正音規範，實在是他在曲學上的最大貢獻。

二、闡揚音樂、詞意、字音兼顧的曲學理論

宋詞、元曲原本音樂性都是極强的，除去初創詞牌、曲譜的人以外，後來的作者只是按譜塡字而已，作家能精通樂曲，詞意合調，字不欺音，是非常不易的事。南宋張樞、張炎父子爲極重音律的名詞人，張炎在《詞源》一書上說：

先人曉暢音律，有《寄閒集》，旁綴音譜，刊行於世。每作一詞，必使歌者按之，稍有不協，

隨即改正。曾賦「瑞鶴仙」一詞云：「捲簾人睡起。放燕子歸來，商量春事。芳菲又無幾。減風光，都在賣花聲裡。吟邊眼底。被嫩綠，移紅換紫。甚等閑，半委東風，半委小橋流水。還是。苔痕湔雨，竹影留雲，做晴猶未。繁華迤邐。西湖上，多少歌吹。粉蝶兒，撲定花心不去，閒了尋香兩翅。那知人，一點新愁，寸心萬里。」此詞按之歌譜，聲字皆協，惟「撲」字稍不協，遂改爲「守」字迺協，始知雅詞協音雖一字亦不放過，信乎協音之不易也。又作「惜花春早起」云：「瑣窗深深」，字意不協，改爲「幽」字，又不協，再改爲「明」字，歌之始協。

這兩段說明雅詞協音的不易，後段又透露出「捨意求音」的事實。

周德清「工樂府，善音律，……自製樂府若干調，隨時體制，不失法度，屬律必嚴，比字必切，審律必當，擇字必精，是以和於宮商，合於節奏，而無宿昔聲律之弊。」（注一二）「德清之韻，不獨中原，乃天下之正音也；德清之詞，不惟江南，實當時之獨步也。」（注一三）可見周德清是一位兼顧音樂、詞意和字音而受人推崇的作家。他相關的曲論，在《中原音韻》兩篇自序、《中原音韻正語作詞起例》中都有詳明的記載，此處不再引述原文。

三、影響後代曲論的走向

周德清以前的曲論著作，只有燕南芝菴《唱論》一種，《唱論》實際只有三十一小節，內容除略舉古代知音善歌者、宋代大樂作家及戲曲體制外，大部分是宋元戲曲歌唱方法的理論。從書名上，我們可以知道他偏重在「唱」，如形容歌者的聲音，他說：

凡人聲音不等，各有所長，有川嗓，有堂聲，皆合簫管。有唱雄壯的，失之村沙。唱得蘊拭的，失之乜斜。唱得輕巧的，失之寒賤。唱得本分的，失之老實。唱得用意的，失之穿鑿。唱得打掐的，失之本調。

《唱論》的文章簡略，文意稍嫌晦澀，往往用些專有名詞，使後人難以領會，又缺乏例證描寫，所以對後代曲論的影響力極小。至於周德清的曲論則不然，他的範圍擴及音樂的宮調、曲牌的歸屬，字音的陰陽、平仄正誤，用事、用詞、用語的禁忌，文義的曼妙……，又多詳舉例句，給後人較廣的視野及省察的空間，所以影響力就遠比《唱論》來得深遠了。

明代南劇盛而北曲漸衰，論曲者也多重南而輕北，但立論方向仍多襲周德清而加以發揮。王驥德《方諸館曲律》、沈寵綏《度曲須知》是明代最有系統，內容最充實的兩本劇曲聲樂論著，而他們都受到周德清曲論的影響。

《方諸館曲律》四卷，是王驥德論述南北劇曲的源流衍變、體制形式、宮調聲韻、製曲度曲方法的專門論著，其中「論平仄」一章，引述了周德清「平分陰陽」、「入派三聲」的說法；「論陰陽」一章，也首先提到：

陰陽之說，北曲《中原音韻》論之甚詳。

「論韻」一章，更說：

作曲則用元周德清《中原音韻》，……德清生最晚，始輯爲此韻，作北曲者守之，兢兢無敢出入。

「論閉口字」一章，贊同《中原音韻》「侵尋」、「監咸」、「廉纖」三部獨立，並說：

吳人無閉口字，每以侵爲親，以監爲奸，以廉爲連，至十九韻中，遂缺其三，此弊相沿，牢不可破，爲害非淺！

「論務頭」一章，則謂：

務頭之說，《中原音韻》於北曲臚列甚詳，南曲則絕無人語及之者。

由此可見周德清的曲論對王驥德是深具影響的。

《度曲須知》成書於晚明，作者沈寵綏精於音律，長於度曲，在南方崑曲盛行時，以科學的方法對曲學作科學性的分析，內容豐富，並時時透露出周德清在其心目中的地位及影響。他首列「詞學先賢姓氏」，周德清即榮列第一，在姓氏之後，沈寵綏說：

以上諸名公，緣著作有關聲學。予前後二集，稽採良多，用識爵里，不忘所自云。

欽慕之心，已表現無疑。在「四聲批竅」一項中，認爲北曲無入，入派三聲，但呼吸呑吐間，還有入聲之別，說法與周德清相同。「中秋品曲」論到字音收尾，他也說：

熟曉《中原音韻》各韻之音，斯爲得之。蓋極填詞家通用字眼，推《中原》十九韻可該其概。

「宗韻商疑」一項，對南、北詞用韻的標準提出看法，他說：

凡南北詞韻腳，當共押周韻，若句中字面，則南曲以《正韻》爲宗，而朋、橫等字，當以庚青唱之。北曲以周韻爲宗，而朋、橫等字，不妨以東鍾音唱之。但周韻爲北詞而設，世所共曉，亦所共式，惟南詞所宗之韻，按之時唱，似難捉模，以言乎宗《正韻》也。

「字釐南北」一項，也是就北、南詞字音不同提出了南、北音本來有異的看法，他說：

北曲肇自金人，盛於勝國。當時所遵字音之典型，惟《中原韻》一書已爾，入明猶踵其舊。迨後填詞家，競工南曲，而登歌者亦尚南音，……且盡反《中原》之音，而一祖《洪武正韻》焉。……北曲字面，所爲自勝國以來，久奉《中原韻》爲典型，一旦以南音攙入，此爲別字，可勝言哉？

在「北曲正訛考」中，注明「宗《中原韻》」；「異聲同字考」、「文同解異考」、「陰出陽收考」、「方音洗冤考」等，也直接摘錄或擇取周德清說法與觀點。從以上的現象看來，他們的曲論都是站在周德清曲學基礎上而發揮是極爲明顯的，因此說周德清影響了後代曲論走向。

【注釋】

注一 見《中原音韻正語作詞起例》第二十條。

注二 本作「且以開口陌以庚內盲，至德以登五韻」，不可讀，今稍改原文以便通讀。

注　三　見《中原音韻正語作詞起例》第二十二條。

注　四　見《中原音韻正語作詞起例》第二條。又：明沈寵綏《度曲須知》：「吳興土俗以……煙讀淵，以堅讀娟。」可見這條是在講「方音」。

注　五　元・燕南芝菴有《唱論》傳世，其中「大凡聲音，各應於律呂，分於六宮十一調，共計十七宮調。仙呂調唱，清新綿邈。南呂宮唱，感嘆傷悲……」一段，與周德清所說幾乎完全相同。芝菴，姓名，生平都不可考。楊朝英《陽春白雪》附刊《唱論》，則其生年時代必早於楊氏，因周德清看過《陽春白雪》集，所以我想他是抄錄了芝菴的說法。

注　六　同一曲牌兼入不同宮調，詳見陶宗儀《輟耕錄》及鄭騫先生《北曲新譜》。

注　七　如陶宗儀誤以為黃鍾女冠子即大石女冠子、正宮柳梢青即仙呂柳梢青，都是出於名同曲異的緣故。

注　八　收錄於周德清《中原音韻正語作詞起例》第二十五條內。

注　九　任訥以為「定格」評語內，有涉及「用意」的，今將這類歸於「造語」，不別立標目。又「知韻」一項因涉及字音，四聲平仄問題，所以改為「知音」。

注一〇　關於周德清這一段話，前人的解釋並不一致。任訥認為文句或有訛、脫誤，他說：

「正」字應誤。若為「亂」字則義曉，或「皆不能」上脫「否則」二字。

因現存瞿氏本及嘯餘譜本都沒有異文，所以任意校改並不可從。寧繼福《〈中原音韻〉無入聲內證》一文解釋這段話的含義說：

周氏列舉的七句七言詩，是唐人律句，依次注出的七個字，《廣韻》讀入聲，《中原音韻》收在「入聲作平聲」。曲的律句平仄格式雖與唐詩一致，但是字的平仄歸類卻不盡相同，它們的分野就在「入聲作平聲」字。如果以曲字之平仄衡量上列唐詩，則大都變成非律句！所以周德清著重指出：「入聲作平聲施于句中不可不謹，不謹皆不能正其音。」並將這一條列爲作詞第五法。

寧先生沒有顧慮到曲詞是配樂唱出來的，和律詩的長吟並不相同，周德清不說「入作上」、「入作去」，只說「入作平」，可能跟律詩的平仄規律並不相干，他只在强調「入作平」、「皆不能正其音」。寧先生又在原文擅加「不謹」兩個字，使意思變爲「謹則能正其音」，顯然出於臆測，今不從這兩家的說法。

注一一　見魯國堯《白樸曲韻與中原音韻》一文。

注一二　虞集《中原音韻、序》中語。

注一三　瑣非復初《中原音韻、序》中語。

第三章　周德清的曲韻創作

周德清的曲論，極具開創性；雖然明清以來曲學家在這方面後出轉精，內容也充實了許多，但《中原音韻正語作詞起例》仍當被推尊爲曲論的鼻祖。事實上，周德清爲後人稱道，爲今人尊敬，主要在於他運用其語音知識及作曲的心得，歸納當時曲家的用韻情形編寫了一部空前的曲韻韻書—《中原音韻》。後代雖有仿作的增訂本，但多流行不廣（注一），所以它也可以說是一部絕世之作。本章就針對《中原音韻》的成書、性質、體制及價值做一說明。

第一節　《中原音韻》的成書

《中原音韻》的寫作緣起，周德清在該書的序裡說：

青原蕭存存博學，工於文詞。每病今之樂府，有遵音調作者；有增襯字作者；有《陽春白雪集》「德勝令」：「花影壓重簷，沈烟裊繡簾，人去青鸞杳，春嬌酒病懨，眉尖常瑣傷春怨，忺忺忺的來不待忺。」「綉」唱爲「羞」，與「怨」字同押者；有同集「殿前歡」「白雪窩」二段，俱八句，「白」字不能歌者；有板行逢雙不對，襯字尤多，文律俱謬，而指時賢作者；有韻腳用平上去不一，云也唱得者；有句中用入聲，不能歌者；有歌其字音非其字者。令人無所守。泰定甲子，存存托友張漢英以其說問作詞之法於予。……因重張之請，遂分平聲陰陽，及撮其三聲同音，兼以入聲派入三聲，如鞞字次本聲後，葺成一帙，分爲十九，名之曰《中原音韻》，幷《起例》以遺之，可與識者道，是秋九日，高安挺齋周德清自序。

可知周德清編寫《中原音韻》，與蕭存存問作詞之法的關係極爲密切。元泰定甲子，當西元一三二四年，《中原音韻》書成。《中原音韻、後序》說：

泰定甲子秋，予既作《中原音韻》幷《起例》，以遺青原蕭存存。

《中原音韻正語作詞起例》第八條又說：

《中原音韻》的本內，平聲陰如此字，陽如此字。蕭存存欲鋟梓以啓後學，值其早逝。泰定甲子以後，嘗寫數十本，散之江湖，其韻內，平聲陰如此字，陽如此字，陰陽如此字。夫一字不屬陰則屬陽，不屬陽則屬陰，豈有一字而屬陰又屬陽也哉！此蓋傳寫之謬。今既的本刊行，或有得余墨本者，幸毋譏其前後不一。

這一段話顯示出當時《中原音韻》有前後兩種版本，一是「墨本」，早先送給蕭存存及稍後周德清自寫的數十本屬之。「墨本」將平聲分爲「陰」、「陽」及「陰陽」三類。其後周德清不滿意這種分類，在自己刊行的《中原音韻》裡，平聲只分「陰」、「陽」兩類，這是「的本」。「墨本」今已不傳，我們現在所能看到的都是「的本」，他的成書應當晚於「墨本」的泰定甲子年。至於「的本」何時成書？《中原音韻、虞集序》說：

余昔在朝，以文字爲職，樂律之事，每與聞之。……當是時，苟得德清之爲人，引之禁林，相與討論斯事，豈無一日起余之助乎！惜哉！余還山中，眊且廢矣。德清留滯江南，又無有賞其音者。……

依據《元史、虞集傳》：

幼君崩，大臣將立妥歡帖穆爾太子，用至大故事，召諸老臣赴上都議政，集在召列。祖常使人告之曰：「御史有言」。乃謝病歸臨川。……至正八年五月己未，以病卒，年七十有二。

虞集在元至順四年（西元一三三三年）歸臨川，卒於西元一三四八年。由此，我們可以推知，「的本」《中原音韻》至遲在西元一三四八年就已經刊行了。

第二節　《中原音韻》的性質

編寫一本書的主要目的，往往形成該書的主要性質，次要目的，就構成它的次要性質，後人對它起了與編寫目的無關的其他聯想，於是又產生了外加性質。這一節主要是由周德清自己說的話，來分析《中原音韻》的性質，外加的諸多意見，暫不列入引述討論的範圍。

一、主要性質：北曲韻腳字音譜。

《中原音韻》所收錄的字不及六千，與傳統韻書、字書要儘量蒐羅字形的性質不同，周德清在《中原音韻正語作詞起例》第一條就說：

> 《音韻》不能盡收，《廣韻》如「崆峒」之「崆」，「要駕」之「要」，「倥傯」之「倥」，「鵓鴿」之「鵓」字之類，皆不可施於詞之韻腳，毋譏其不備。

第十二條說：

> 《漢書》：東方朔滑稽，「滑」字讀爲「骨」；金日磾，「日」字讀爲「密」。諸韻皆不載，亦不敢擅收，況不可押於韻腳，姑錄以辨其字音耳。

「不可施於詞之韻腳」、「不可押於韻腳」的字就不收，可見《中原音韻》只收可以用於韻腳位置的字。這種「韻腳」是用於何種文體中？周德清《中原音韻、自序》中說：

> 言語一科，欲作樂府，必正言語；欲正言語，必宗中原之音。樂府之盛、之備、之難，莫如今時。其盛則自搢紳及閭閻歌詠者眾；其備則自關、鄭、白、馬一新製作，韻共守自然之音，字能通天下之語，字暢語俊，韻促音調，觀其所述，曰忠曰孝，有補於世；其難則有六字三韻，「忽聽一聲猛驚」是也。……嗚呼！言語可不究乎？以板行謬語，而指時賢作者皆自爲

之詞，將正其己之是，影其己之非，務取媚於市井之徒，不求知於高明之士，能不受其惑者，幾人哉？使眞時賢所作，亦不足爲法。取之者之罪，非公器也。韻腳用三聲，何者爲是，不思前輩某字其韻必用某聲，卻云也唱得，乃文過之詞，非作者之言也。……予甚欲爲訂砭之文，以正其語、便其作，而使成樂府，……遂分平聲陰陽，及撮其三聲同音，兼以入聲派入三聲，如鞞字次本聲後，葺成一帙，分爲十九，名之曰《中原音韻》。

關、鄭、白、馬「一新製作」的「樂府」文體，就是《中原音韻》正音的對象，而這種「樂府」即今人所稱的元代北曲。所以我們說《中原音韻》的主要性質，是北曲韻腳字的音譜。

二、次要性質：中原口語正音字譜。

周德清强調「欲作樂府，必正言語；欲正言語，必宗中原之音」，《中原音韻》所表現出來的音系，是否和「中原之音」完全相同呢？答案是否定的。依照周德清的看法，《中原音韻》只有平、上、去三聲的字和「中原之音」相同，入聲要另當別論的。這一觀念在《中原音韻正語作詞起例》第十八條裡說的最明白：

亳州友人孫德卿長於隱語，謂：「《中原音韻》三聲，乃四海所同者，不獨正語作詞。夫曹娥義社、天下一家，雖有謎韻，學者反被其誤，半是南方之音，不能施於四方，非一家之義。今之所編，四海同音，何所往而不可也！詩禪得之，字字皆可爲法。」余曰：「嘗有此恨。

切謂言語既正，謎字亦正矣。從葺《音韻》以來，每與同志包猜，用此爲則，平上去本聲則可，但入聲作三聲，如平聲伏與扶，上聲拂與斧，去聲屋與誤字之類，俱同聲則不可。何也？入聲作三聲者，廣其押韻，爲作詞而設耳。毋以此爲比，當以呼吸言語還有入聲之別而辨之可也。」德卿曰：「然。」

《中原音韻》三聲，乃四海所同，故可以充分表現出中原口語的音系。至於「呼吸言語，還有入聲之別」，而《中原音韻》卻入派三聲，可見其間存有很大的差異。周德清爲了澄清此事，所以他屢次强調：

入聲派入平上去三聲者，以廣其押韻，爲作詞而設耳！然呼吸言語之間，還有入聲之別。（注二）

入聲派入平上去三聲，如鞞字次本韻後，使黑白分明，以別本聲、外來，庶使學者、有才者，本韻目足矣。（注三）

入聲作平聲——施於句中不可不謹，皆不能正其音。（注四）

夫聲分平仄者，謂無入聲，以入聲派入平上去三聲也。作平者最爲緊切，施之句中，不可不謹。派入三聲者，廣其韻耳，有才者，本韻自足矣。（注五）

因爲「入派三聲」是唱曲的權宜措施，而「入派平」時，又可能與平聲調有差異，所以不可不謹，有才的人不用入聲字，似乎是上上之策。至於「入派三聲」的原則，周德清說：

平上去入四聲，音韻無入聲，派入平上去三聲，前輩佳作中間，備載明白，但未有以集之者。今撮其同聲，或有未當，與我同志，改而正諸。（注六）

從語氣上看，周德清對歸派三聲，似乎並不是充滿信心，而自認一定正確無誤的。總之，作曲既要正語音，《中原音韻》平上去三聲屬字的歸韻分調，已表現出中原口語的正音。

第三節 《中原音韻》的體制

《中原音韻》總共收錄了五千八百多字（注七），分成十九個韻部，每個韻部用兩個字做爲標目，略按《廣韻》音序排列，這十九個韻部的名稱依序是：一東鍾、二江陽、三支思、四齊微、五魚模、六皆來、七眞文、八寒山、九桓歡、十先天、十一蕭豪、十二歌戈、十三家麻、十四車遮、十五庚青、十六尤侯、十七侵尋、十八監咸、十九廉纖，每個韻目下再分聲調，以聲調分類標目爲準，十九韻部，大致有如下的分配：

一、分「平聲陰」、「平聲陽」、「上聲」、「去聲」四目的有：東鍾、江陽、眞文、寒山、桓歡、先天、庚青、侵尋、監咸、廉纖等十部。

二、分「平聲陰」、「平聲陽」、「入聲作平聲」、「上聲」、「入聲作上聲」、「去聲」、「入聲作去聲」七目的有：魚模、皆來、蕭豪、歌戈、家麻、車遮、尤侯等七部。

三、分「平聲陰」、「平聲陽」、「上聲」、「入聲作上聲」、「去聲」五目的有：「支思」一部。

四、分「平聲陰」、「平聲陽」、「入聲作平聲」、「去聲作平聲」、「上聲」、「入聲作上聲」、「去聲」、「入聲作去聲」八目的有：「齊微」一部。

在聲調之下，將同音字排列一處，不同音的字組間，用「○」隔開，每個音組以常見字爲首（注八），以「東鍾」韻去聲字爲例，收字情形如下：

洞動棟凍蝀○鳳奉諷縫○貢共供○宋送○弄哢齈○控空鞚○訟誦頌○甕齆[illegible]○痛慟○眾中仲重種○縱從粽○夢孟○用詠瑩○哄閧橫○綜○迸○銃

《中原音韻》內所收的字，原則上不注反切，也不注義，只有極少數的字下寫出了字音和字義，它們是：

東鍾韻：囱—烟突。叿—人聲。廱—辟。

江陽韻：湯—洪水。沆—沆瀣。

支思韻：澁瑟—音史。塞—音死。

魚模韻：局—廷。屈—申（注九）。

眞文韻：員—伍員、人名。

家麻韻：[illegible]—釋醜。㢼—傍屋。

右列注音的三字，與「入派三聲」有關，其餘注義的字，或爲破音，或爲罕見字，其目的不外是要提醒人特別注意，方不致產生差錯。

第四節　《中原音韻》的價值

《中原音韻》的價值在「曲學」和「音韻學」上最爲顯著，本節就從這兩方面分別作一敘述。

一、《中原音韻》在曲學上的價值

周德清編寫《中原音韻》最自豪的，應當是「平分陰陽」、「入派三聲」和「分十九部」這三項前所未有的創舉。他在《中原音韻、自序》中說：

諸公已矣，後學莫及，何也？蓋其不悟聲分平仄，字別陰陽。夫聲分平仄者，謂無入聲，以入聲派入平上去三聲也。……字別陰陽者，陰陽字平聲有之，上去俱無，上去各止一聲。……上去二聲，施於句中，施於韻腳，無用陰陽，惟慢詞中僅可曳其聲爾，此自然之理也。妙處在此，初學者何由知之！乃作詞之膏肓，用字之骨髓，皆不傳之妙，獨予知之！……入聲於句中不能歌者，不知入聲作平聲也；歌其字音非其字者，合用陰而陽、陽而陰也。……予甚欲爲訂砭之文，以正其語，便其作而使成樂府。……遂分平聲陰陽，及撮其三聲同音，兼以入聲派入三聲，……葺成一帙，分爲十九，名之曰《中原音韻》，……可與識者道。

由這段十分自信的話，可知周德清認為《中原音韻》的最大價值，就是對樂府「作詞」、「用字」具有「正語」的功效。

當時著名文士虞集為《中原音韻》作序，也從製作「樂府」的角度，說出這本書在曲學上的價值，他說：

高安周德清工樂府、善音律，自著《中州音韻》一帙，分若干部，以為正語之本，變雅之端。其法：以聲之清濁，定字陰陽，如高聲從陽，低聲從陰，使用字者，隨聲高下，措字為詞，各有攸當。則清濁得宜，而無淩犯之患矣。以聲之上下，分韻為平仄。如入聲直促，難諧音調。成韻之入聲，悉派三聲，誌以黑白。使用韻者，隨字陰陽，置韻成文，各有所協，則上下中律，而無拘拗之病矣。是書既行，於樂府之士，豈無補哉！

事實上，《中原音韻》對後代南、北戲曲聲樂音律上的確起了極大的影響力，下面就從「分韻」、「陰陽」和「入派三聲」三項一一說明。

㈠**分十九韻部**：北曲曲詞是借音樂唱出來的，如何唱得正音，且有音韻重複出現的押韻美感，分韻恰當與否是十分重要的。《中原音韻》所分的十九類，明、清以來曲學家或曲作家向來奉為圭臬。如明代曲論家沈寵綏說：

從來詞家只管得上半字面，而下半字面，須關唱家收拾得好。……若乃下半字面，工夫全在收音，音路稍譌，便成別字。如魚模之魚，當收于音，倘以噫音收，遂訛夷字矣。庚青之庚，本收鼻音，若舐腭收，遂訛巾字矣。其理維何？在熟曉《中原》各韻之音，斯爲得之。蓋極塡詞家通用字眼，惟《中原》十九韻可該其概，而極十九韻字尾，惟噫嗚數音可管其全。……唱者誠舉各音涇渭，收得淸楚，而鼻舌不相侵，噫於不相紊，則下半字面，方稱完好。（注一〇）

淸代王德暉、徐沅澂《顧誤錄》內有「中原音韻出字訣」，韻目雖不全用《中原音韻》，但分十九類則相同，內容是：

一東中，舌居中。二江陽，口開張。三支思，露齒兒。四齊微，嘻嘴皮。五魚模，撮口呼。六皆來，扯口開。七眞文，鼻不吞。八寒山，喉沒攔。九桓歡，口吐丸。十先天，在舌端。十一蕭豪，音甚淸高。十二歌戈，莫混魚模。十三家麻，啓口張牙。十四車遮，口略開些。十五庚靑，鼻裡出聲。十六尤侯，音出在喉。十七浸尋，閉口眞文。十八監咸，閉口寒山。十九廉纖，閉口先天。

可見《中原音韻》所分十九韻類確當無誤，成爲後人析音別韻的準繩。

㈡平聲分陰陽：平聲可以分出兩種音高，宋朝張炎在《詞源》裡首見其迹，他說：

「惜花春早起」云：「瑣窗深深」，字意不協，改爲「幽」字，又不協，再爲「明」字，歌之始協。

淸代戈載《詞林正韻・發凡》說：

「明」字爲陽，「深」「幽」爲陰，故歌時不同耳。

張炎的說明雖然不夠清楚，但這與周德清强調平分陰陽的理論並無二致。周德清《中原音韻》平分陰陽的最大價值，在於有系統的爲平聲字兩種音高做了分別，以適應曲調，其次則是開啓曲論者注意語文四聲分陰、陽調問題的風氣。明代王驥德《方諸館曲律》即承繼周德清的曲論，對南曲的音調又有了新的看法，他在「論陰陽」條下說：

古之論曲者曰：聲分平仄，字別陰陽。陰陽之說，北曲《中原音韻》論之甚詳，南曲則久廢不講，其法亦湮沒不傳矣。……周氏以清者爲陰，濁者爲陽，故於北曲中凡揭起字，皆曰陽，抑下字，皆曰陰；……今借其所謂陰陽二字而言，則曲之篇章句字，既播之聲音，必高下抑揚，參差相錯，引如貫珠，而後可入律呂，可和管絃。倘宜揭也而或用陰字，則聲必欺字，宜抑也而或用陽字，則字必欺聲；陰陽一欺，則調必不和，欲詘調以就字，則聲非其聲，欲易字就調，則字非其字矣。毋論聽者逆耳，抑亦歌者棘喉。《中原音韻》載：歌北曲「四塊玉」者原是「綵扇歌，青樓飲」，而歌者歌青爲晴，謂此一字欲揚其音，而青乃抑之，於是改作「買笑金，纏頭錦」而始叶正聲，非其聲之謂也。……周氏以爲：陰陽字惟平聲有之，上去俱無。夫東之爲陰，而上則爲董，去則爲凍，籠之爲陽，而上則爲隴，去則爲弄，清濁甚別。又以爲入作平聲皆陽；夫平之陽字，欲揭起甚難，而用一入聲，反圓美而好聽者何也？以入之有陰也。蓋字有四聲，以清出者亦以清收，以濁始亦以濁斂，此亦自然之理，惡得謂上去之無陰陽，而入之作平者皆陽也？

王驥德曲論「四聲八調」的創說，似是在批評周德清只有平聲分陰陽，實則明顯受到了《中原音韻》平分陰陽的啓示！

清徐大椿《樂府傳聲》內有「四聲各有陰陽」一項，對字音聲調分析有了更清晰的認知，他說：

字之分陰陽，從古知之。宋人塡詞極重，只散見於諸家論說，而無全書。惟《中原音韻》，將每韻分出，最爲詳盡；但只平聲有陰陽，而餘三聲皆不分陰陽，不知以三聲本無分乎？抑難分乎？抑可以不分乎？或又以爲去入有陰陽，而上聲獨無陰陽，此更悖理之極者。蓋四聲之陰陽，皆從平聲起，平聲一出，則四呼皆來，一貫到底，不容勉強，亦不可移易，豈有平聲有陰陽，而三聲無陰陽者，亦豈有平去入有陰陽，而上聲獨無陰陽者。此等皆極荒唐之說，後人竟不深求，不得不急爲拈出，使天下後世作曲與唱曲之人，確然有所執持，而審音不惑。如宗字爲陰，宗、總、縱、足，皆陰也；戎字爲陽，戎、冗、誦、族，皆陽也。上八字豈可刪去一字，亦豈可互易一字，亦豈可宗戎有陰陽，而下字無陰陽，更豈可縱足與誦族有陰陽，而總與冗無陰陽？此有耳者之所共察，不必明於度曲者而後知之也。余常欲以《中原音韻》四聲之陰陽，每字皆爲分定，以息千古紛紛之說，尚未遑而有待。但作曲者能別平聲之陰陽，己屬難事，若併三聲而分之，則尤艱於措筆，不必字字苛求，然不可以作曲之難而併字之陰陽亦泯之也。

可見《中原音韻》的平分陰陽，實對某些具有多種調值方音的語言分析，具有良好的啓示作用。

㈢**入派三聲**：《中原音韻》入派三聲本爲唱曲而設，他的價值就限在入聲字可因此而用於曲詞中，不致有入聲字不能歌的窘境。後人雖未必全然接受這種意見，但卻逐漸對南、北曲入聲字的唱法重視起來，這未嘗不可說《中原音韻》入派三聲具有開啓學風的價值。明代王驥德《方諸館曲律》「論平仄」中說：

> 北音重濁，故北曲無入聲，轉派入平上去三聲；而南曲不然，詞隱謂入可代平，爲獨洩造化之祕。又欲令作南曲者，悉遵《中原音韻》，入聲亦止許代平，餘以上去相間。不知南曲與北曲正自不同：北則入無正音，故派入平上去之三聲，且各有所屬，不得假借；南則入聲自有正音，又施於平上去之三聲，無所不可。大抵詞曲之有入聲，正如藥中甘草，一遇缺乏，或平上去三聲字面不妥，無可奈何之際，得一入聲，便可通融打諢過去，是故可作平、可作上、可作去；而其作平也，可作陰，又可作陽，不得以北音爲拘。

沈寵綏《度曲須知》「四聲批窾」條則大抵緣用周德清的理論，他說：

> 北曲無入聲，派叶平上去三聲，此廣其押韻，爲作詞而設耳。然呼吸呑吐之間，還有入聲之別，度北曲者須當理會。

清代毛先舒《南曲入聲客問》是專研究南曲入聲唱法的專著，書中對北曲「入派三聲」已有若干誤解，但對南曲卻能從音樂上加以解釋，這正與周德清當時理會「入派三聲」的情形相同，他說：

客問：「北曲既可派入聲入三聲，南曲何故又難派入聲入三聲？」曰：「北之入作平上去也，方音也。北人口語無入聲，凡入聲皆作平上去呼之。即如轂字，北人云呼爲古，北曲自應從北音，故《中原音韻》轂字當以入作上而音古。凡入聲皆然。此周挺齋氏之以入派歸於三聲，非任臆強造也。若南曲，自應從南音，南人呼轂與穀、谷等音同，原不呼古。凡入聲皆然。原未嘗作平上去呼也，則南曲安得強派之入三聲也？既難強派，別無歸著，則自應更爲標部而單押矣。歌須曼聲，入便難唱，則自應隨譜入三聲作腔矣。」

清代徐大椿《樂府傳聲》有「入聲派三聲法」，意見與毛先舒大致相同，今不具引。總之，周德清「入派三聲」是爲唱北曲而設，因爲他對入字聲的處理法與眾不同，明、清以來，南戲盛行，曲論家受《中原音韻》的啓示，也從配樂角度，爲南曲「入作平」的唱法找到了合理的說詞，這就是《中原音韻》「入派三聲」本身的實用價值，及對後代新興文學—南曲，也相對產生了示範性的作用。

二、《中原音韻》在音韻學上的價值

漢語音韻學是一門研究漢語各時代語音系統及音變歷程的學問，現代漢語音韻學者嚴學宭曾說：

在漢語語音史上，周德清的《中原音韻》是繼《詩經》、《切韻》之後第三座光輝的里程碑。（注一一）

可見《中原音韻》在音韻學上的重要性已是受人肯定的，以下將此書在音韻學上的價值作重點式的分項敍述。

㈠為北音、曲韻韻書的鼻祖：陳第《毛詩古音考、自序》說：

時有古今，地有南北，字有更革，音有轉移，亦勢所必至。

周德清屢次批評《廣韻》是依南方閩、浙音製訂的，所說固然有矯枉過正之嫌(注一三)，但他以「四海所同」的「中原之音」為準製訂韻書，卻開啓了後人編寫北音韻書及南、北曲韻書的風氣。羅常培在《舊劇中的幾個音韻問題》一文中，曾就北音韻書演化系統、曲韻韻書韻目對照及小學派韻目對照三方面，說明北音、曲韻韻書的源流及演化，以為《中原音韻》是它們共同的鼻祖，現在將羅常培先生的表格化說明抄錄於後。

1.北音韻書演化系統

- 高安周德清 中原音韻19. 平分陰陽入派三聲
  - 南
    - 宋濂等 洪武正韻22. 分出入聲十韻
      - → 崑山王鵕 中州音韻輯要21.
        - → 婁湄沈乘麐 曲韻驪珠21. 分出入聲八韻
          - → 昭文周昂 增訂中州全韻22. 平上去皆分陰陽
    - 瞜城范善溱 中州全韻 平去分陰陽 → 中州音韻輯要
    - 吳興王文璧 增訂中州音韻 → 中州全韻
    - 有反切 → 增訂中州音韻
  - 北
    - 燕山卓從之 中州樂府音韻類編19.
      - → 明寧獻王權 瓊林雅韻19.
        - → 下邳陳鐸居南京 菉斐軒詞林要韻19.
    - 楊林蘭茂 韻略易通20. 不分陰陽有入
      - → 掖縣畢拱辰 韻略匯通16. 不分陰陽
        - → 分五聲 山東十五音15. ← 湖北字音彙集14.
        - → 唐山樊騰鳳 五方元音12.
          - → 陝西馬自援生長雲南 等音13.
          - → 字母切韻要法12.
            - → 遼東林本裕生長雲南 聲位13.
              - → 徐州十三韻 → 滕縣十三韻 → 滇戲十三韻 → 平戲十三轍

2.曲韻韻目對照表（注一三）

中原音韻	卓中州	洪武	瓊林	菉斐	王中州	范中州	輯要	驪珠	周中州
東鍾	東鍾	東	穹窿	東紅	東鍾	東同	東同	東同	東鍾
江陽	江陽	陽	邦昌	邦陽	江陽	江陽	江陽	江陽	江陽
支思	支思	支	詩詞	支時	支思	支思	支時	支時	支時
齊微	齊微	齊	丕基	齊微	齊微	機微	機微	鑴微	齊微
		○灰					○歸回	○灰回	○歸回
		魚					居魚	居魚	居魚

魚模	皆來	眞文	寒山	桓歡	先天	蕭豪
魚　模	皆　來	眞　文	寒　山	桓　歡	先　天	蕭　豪
○模	皆	眞	寒○刪		先	蕭○爻
車　書	泰　階	仁　恩	安　閑	⿰角耑　鸞	乾　元	簫　韶
車　夫	皆　來	眞　文	寒　山	鸞　端	先　天	蕭　韶
魚　模	皆　來	眞　文	寒　山	歡　桓	先　天	蕭　豪
居　魚	皆　來	眞　文	千　寒	歡　桓	天　田	蕭　豪
○蘇模	皆　來	眞　文	千　寒	歡　桓	天　田	蕭　豪
○姑模	皆　來	眞　文	千　寒	歡　桓	天　田	蕭　豪
○知如　○蘇徒	皆　來	眞　文	寒　山	歡　桓	先　天	蕭　豪

歌戈	家麻	車遮	庚青	尤侯	侵尋	監咸	廉纖
哥戈	家麻	車遮	庚青	尤侯	尋侵	監咸	廉纖
歌	麻	遮	庚	尤	侵	覃	鹽
珂和	嘉華	硨砑	清寧	周流	金琛	潭巖	恬謙
和何	嘉華	車邪	清明	幽游	金音	南山	占炎
歌戈	家麻	車遮	庚青	尤侯	侵尋	監咸	廉纖
歌羅	家麻	車遮	庚亭	鳩尤	侵尋	監咸	纖廉
歌羅	家麻	車蛇	庚亭	鳩由	侵尋	監咸	纖廉
歌羅	家麻	車蛇	庚亭	鳩侯	侵尋	監咸	纖廉
歌羅	家麻	車遮	庚青	鳩由	侵尋	監咸	廉纖

一三	二四		
一三五	一		
一三七四	。又多出	入聲十韻	
一三	九八		
一四	八三		
一五〇	八前		
	？		
一七八	一		
一七九	二。又	多出入	聲八韻
一七九	一？		

3.小學派韻目對照表（注一四）

中原音韻	東鍾	江陽
易通	東洪	江陽
匯通	東洪	江陽
十五音	東	江
彙集	風	央
五方元音	龍	羊
切韻要法		岡
等音		岡
聲位		岡
徐州十三韻		秧養樣陽
滕縣韻		江
滇戲韻	空同	堂郎
十三轍	中東	江陽

支思	支辭	支辭	支	詩								
齊微	西微	灰微	齊 微	依 威	地 (地)	裓(齊) 傀	基 規	基 圭	吉紀記極 灰惑會回	吉 饑	提攜 灰堆	一七 灰堆
魚模	呼模 居魚	呼模 居魚	姑 虞	夫	虎 (地)	裓(合) 裓(撮)	孤	沽	屋武誤吳	居	土伏	姑蘇
皆來	皆來	皆來	皆	哀	豺	該	該	該哂	部嚎泰臺	皆	開懷	懷來
眞文	眞文	眞尋	眞	深	人	根	根	根	溫穩問文	金	青沉	人辰
寒山	山寒	山寒	元	焉	天	干	干	干	焉衍彥言	堅	天仙	言前

桓歡	端桓											
先天	先全	先全										
蕭豪	蕭豪	蕭肴	蕭	蒿	獒	高	高	高	腰咬要堯	交	暴燥	遙條
歌戈	戈何	戈何	歌	呵	駝	哥○(裓)(開)	哥	哥	豁火貨和	角	梭波	梭波
家麻	家麻	家麻	家	巴	馬	迦	他	迦	鴨雅亞牙	加	抓麻	發花
車遮	遮蛇	遮蛇	遮	賖	蛇	結	迦	結	葉耶夜爺	結	跌雪	乜斜
庚青	庚晴	庚晴				庚	庚	庚	青請倩情	經		
尤侯	幽樓	幽樓	幽	優	牛	鉤	勾	鉤	幽有又尤	鳩	喉頭	油求

侵尋	侵尋											
監咸	緘咸											
廉纖	廉纖											
一三 二四	一四 四二	一六 四二			一六 五四 ｜一 六七 三？	一六九九 ｜一七〇 二？						

㈡脫離傳統《切韻》系韻書規格，呈現新的音韻系統：《切韻》系韻書的體制，都是先分聲調，再分韻；《中原音韻》爲顧及曲韻三聲通押，所以先分韻，再分聲調。從語音系統上看，《中原音韻

》與《切韻》音系間已產生極大的差異，這應當就是「時有古今」「地有南北」「音有轉移」多方面因素造成的，下面就從聲、韻、調三方面作一比較說明。

1.《中原音韻》聲類與《廣韻》四十聲類的比較（注一五）

《中原音韻》二十聲類	《廣韻》四十聲類
崩	博、蒲（仄）、方（部分）、符（部分）
烹	普、蒲（平）、芳（部分）、符（部分）
蒙	莫（部分）
風	方（部分）、芳（部分）、符（部分）
亡	莫（部分）

東	都、徒（仄）
通	他、徒（平）
龍	力
膿	奴、女
工	古、渠（仄）
空	苦、渠（平）
烘	許、胡

邕	於、于、以、五
鍾	陟、直（仄）、側、士（仄）、之
充	昌、丑、直（平）、士（平）、時（平）
雙	所、式、時（仄）
戎	而
宗	子、昨（仄）
怱	七、昨（平）
嵩	蘇、徐

2.《中原音韻》十九韻部與《廣韻》韻目的比較（注一六）

《中原音韻》韻部	《廣韻》韻目
東鍾	東、冬、鍾、庚（部分）、耕（部分）、清（部分）、登（部分）
江陽	江、陽、唐
支思	支（部分）、脂（部分）、之（部分）、櫛（部分）、德（部分）、緝（部分）
齊微	支（部分）、脂（部分）、之（部分）、微、齊、灰（部分）、祭、廢、質（部分）、陌（部分）、昔（部分）、錫（部分）、職（部分）、德（部分）、緝（部分）

魚模	魚、虞、屋（部分）、沃、燭（部分）、術、沒、物（部分）、緝（部分）
皆來	佳、皆、咍、泰、夬、陌（部分）、麥、職（部分）、德（部分）
眞文	眞、諄、文、殷、魂、痕
寒山	元（部分）、寒、山、刪
桓歡	桓
先天	元（部分）、先、仙
蕭豪	蕭、宵、肴、豪、覺、藥（部分）、鐸（部分）、末（部分）
歌戈	歌、戈、鐸（部分）、物（部分）、曷（部分）、合、末（部分）藥（部分）

家麻	麻（部分）、曷（部分）、黠、狎、帖（部分）、洽、乏、月（部分）盍、鎋、末（部分）
車遮	麻（部分）、帖（部分）、屑、薛、月（部分）、葉、業、陌（部分）
庚青	庚、耕、清、青、蒸、登
尤侯	尤、侯、幽、屋（部分）、燭（部分）
侵尋	侵
監咸	覃、談、咸、銜
廉纖	鹽、添、嚴

3.《中原音韻》聲調與《廣韻》聲調的比較（注一七）

《中原音韻》聲調	《廣韻》聲調
陰平	平（清）
陽平	平（濁）、去（「鼻」字）
上	上（清及次濁）
去	上（全濁）、去
入聲作平聲	入（全濁）
入聲作上聲	入（清）

入聲作去聲	入（次濁）

㈢考訂元代北方音系的依據：董同龢《漢語音韻學》中說：

元朝時代中國的標準語，即當時所謂「中原雅音」或「中原雅聲」者，已經和現代官話很相近了。爲清楚起見，現在可以稱爲「早期官話」。

早期官話的語音系統，現時還可以就不太少的一些資料去考訂。在那些資料之中，時期最早，與煊赫一時的戲曲文學有密切關係，而又能影響一時的，便是元代周德清著的《中原音韻》。《中原音韻》不是「字書」，也與傳統的「韻書」不同，他是專爲唱曲子或作曲子的人審音辨字而設的參考書。至於審音辨字的標準，周氏自己說，乃是北曲前輩權威作家「關、鄭、馬、白」的作品，北曲是根據活的語言寫成的，「關、鄭、馬、白」的作品又是「韻共守自然之音，字能通天下之語」，所以我們說，《中原音韻》就是早期官話的語音實錄。

有鑑於《中原音韻》一書的重要，從本世紀二十年代起，中外學者開始探討元代北音系統時，莫不以它爲研究的中心點，如石山福治一九二五年的《考定中原音韻》，趙蔭棠一九三六年的《中原音韻研究》，陸志韋一九四六年的《釋中原音韻》，服部四郎和滕堂明保一九五八年的《中原音韻的研究》

，斯蒂姆遜一九六三年的《中原音韻的音韻》，薛鳳生一九七二年寫成的《中原音韻音位系統》，楊耐思一九八一年的《中原音韻音系》，李新魁一九八三年的《中原音韻音系研究》，寧繼福一九八五年的《中原音韻表稿》等，都對此書的音韻系統作了深入的研究，王力一九八五年《漢語語音史》一書，敘述元代音時，更以《中原音韻》音系爲主要基準，可見它確實是考訂元代北方音系的重要依據。

【註釋】

注一　汪經昌《曲韻五書、序》說：

南北詞韻協之書，元明以來，代有述作。類多散寄叢刻，平時已輒費搜求，世變頻仍，更復若存若晦。

注二　見《中原音韻正語作詞起例》第五條。

注三　見《中原音韻正語作詞起例》第六條。

注四　見《中原音韻正語作詞起例》「作詞十法」第五項。

注五　見《中原音韻、自序》。

注六　見《中原音韻正語作詞起例》第四條。

注七　依陳乃乾氏影抄鐵琴銅劒樓景《中原音韻幷正語作詞起例》本的字數是五八七六字，但中間偶有脫漏。

注八　《中原音韻正語作詞起例》第十一條說：

注　九　屈字解釋字義，《中原音韻正語作詞起例》第三條曾作說明，內容爲：

《音韻》內每空是一音，以易識字爲頭，止依頭一字呼吸，更不別立切腳。

余與清原曾玄隱言，世之有呼屈原之屈爲屈伸之屈字同音，非也。因注其韻。玄隱曰：嘗聞前輩有一對句可正之：「投水屈原終是屈，殺人曾子又何曾」，明矣。

注一〇　見《度曲須知》「中秋品曲」一節。

注一一　見《〈中原音韻〉新論》代序。

注一二　周德清以爲吳興人沈約是初造韻書的人，又誤認《廣韻》是「閩海之音」，這些都不符事實。

注一三　曲韻韻目採用簡稱，「卓中州」指元至正年間卓從之作《中州樂府音韻類編》，「洪武」指明初官修的《洪武正韻》，「瓊林」指明朱權作《瓊林雅韻》，「菉斐」指明陳鐸作《菉斐軒詞林要韻》，「王中州」指明王文璧作《增訂中州音韻》，「范中州」指明末范善溱作《中州全韻》，「輯要」指清王鵕作《中州音韻輯要》，「驪珠」指清沈乘麐作《曲韻驪珠》，「周中州」指清周昂作《增訂中州全韻》。

注一四　韻書名多用簡稱，「易通」指《韻略易通》「匯通」指《韻略匯通》，「十五音」指《山東十五音》，「彙集」指《湖北字音彙集》，「切韻要法」指《字母切韻要法》，「滕縣音」指滕縣《十三韻》，「滇戲韻」指滇戲《十三韻》，「十三轍」指《鼓棒詞十三轍》。

注一五　四十聲類，乃清陳澧系聯《廣韻》反切上字所得，類名取出現作反切上字次數最多者爲代表。又《中原音韻》聲類及類名採取羅常培《中原音韻聲類考》中的二十類。

注一六　《廣韻》韻目平該上去聲。
注一七　下表僅是一個概略情形，仍有少數例外，今不一一舉出。

第四章 周德清作品的曲律實踐與鑑賞

一般人都說「詩莊、詞媚、曲俗」，「媚」與「俗」就讓人產生「不能登大雅之堂」的印象，事實上也是如此。清代朱彝尊編《詞綜》時就說：

唐、宋以來，作者長短句每別爲一編，不入集中。

以歐陽修、蘇軾崇高的政治地位及文學素養，他們的全集中都不收錄詞作，可見正統文人認爲詞是沒有資格和詩賦文章並論的。元代新興的文學——散曲、雜劇，作者絕大多數沒有崇高的政治地位，民間文士當時社會地位更低，以「俗」取勝的文字，要想在傳統文壇上一較長短，簡直是不可能的事。根據考證，元代詩文集裡附成卷散曲的，一種也沒有，元代刊刻的曲集，至今傳世的也只有四種（注一），所以元人曲作的流布也就極爲有限，「方伎」周德清作的散曲至今流傳極少，也是在所難免的了。本章先考證現存周德清的曲作，進一步觀察其自訂與後人所訂定曲律間的實踐關係，最後再對他的作品做鑑賞。

第一節　周德清散曲考

周德清所作散曲見於元、明兩代曲集、曲譜或其他雜著者，計：

一、元、瑣非復初《中原音韻》序，引用周德清曲句，計存殘曲六首。

二、元、周德清《中原音韻》後序，自引小令一首。

三、元、周德清《中原音韻正語作詞起例》第二十一條後附有小令「滿庭芳」四首。

四、元、楊朝英輯《朝野新聲太平樂府》收有小令二十首，套數三套。

五、明、張祿輯《詞林摘豔》收有小令七首。

六、明、無名氏輯《樂府群珠》收有小令九首。

七、明、郭勛輯《雍熙樂府》收有套數三套。

八、明、朱權撰《太和正音譜》收有小令一首。

九、明、楊愼《詞品》收有小令一首。

十、明、田藝衡《留青日札》收有小令一首。

十一、明、蔣一葵《堯山堂外紀》收有小令三首。

以上十一種資料，去其重複，總計收有周德清曲作小令三十一首、套數三套及殘曲六首。今將各曲與所收入之書名對照表列於下。

曲詞首句	出處
長江萬里白如練	《朝野新聲太平樂府》卷一
灞橋雪擁驢難跨	《朝野新聲太平樂府》卷一
月光	《朝野新聲太平樂府》卷四、《詞林摘豔》卷一
鬢鴨	《朝野新聲太平樂府》卷四、《詞林摘豔》卷一，《詞品》、《堯山堂外紀》卷六十八
披文握武	《中原音韻正語作詞起例》、《詞林摘豔》卷一
安危屬君	《中原音韻正語作詞起例》、《詞林摘豔》卷一

官居極品	《中原音韻正語作詞起例》、《詞林摘豔》卷一
謀淵略廣	《中原音韻正語作詞起例》、《詞林摘豔》卷一
茅店小斜挑草稕	《朝野新聲太平樂府》卷四
穿雲響一乘山簥	《朝野新聲太平樂府》卷四
雪意商量酒價	《朝野新聲太平樂府》卷四
共妾圍爐說話	《朝野新聲太平樂府》卷四
千山落葉巖巖瘦	《朝野新聲太平樂府》卷四、《樂府群珠》卷一

雨晴花柳新梳洗	《朝野新聲太平樂府》卷四、《樂府群珠》卷一
鐙挑斜月明金韂	《朝野新聲太平樂府》卷四、《樂府群珠》卷一
月兒初上鵝黃柳	《朝野新聲太平樂府》卷四、《樂府群珠》卷一
素梅又見樽前唱	《朝野新聲太平樂府》卷四、《樂府群珠》卷一
半池暖綠鴛鴦睡	《朝野新聲太平樂府》卷四、《樂府群珠》卷一
根窠生長靈芽	《朝野新聲太平樂府》卷三
廬山面已難尋	《朝野新聲太平樂府》卷三
暮雲收	《朝野新聲太平樂府》卷三

一葉身	《朝野新聲太平樂府》卷三
燕子來	《朝野新聲太平樂府》卷三
流水桃花鱖美	《朝野新聲太平樂府》卷三
羊續高高掛起	《朝野新聲太平樂府》卷三
鯤化鵬飛未必	《朝野新聲太平樂府》卷三
藏劍心腸利己	《朝野新聲太平樂府》卷三
折垂楊都是殘枝	《朝野新聲太平樂府》卷一、《樂府群珠》卷三

唾珠璣點破湖光	《朝野新聲太平樂府》卷一、《樂府群珠》卷三
宰金頭黑腳天鵝	《中原音韻》後序、《樂府群珠》卷三、《堯山堂外紀》卷七十一
倚篷窗無語嗟呀	《詞林摘豔》卷一、《留青日札》卷二十六、《堯山堂外紀》卷七十一
正伯牙志未諧	《朝野新聲太平樂府》卷八、《雍熙樂府》卷一
四角盤中	《朝野新聲太平樂府》卷七、《雍熙樂府》卷十三
不辨珉玒	《朝野新聲太平樂府》卷七、《雍熙樂府》卷十三
篇篇句句靈芝	《中原音韻》序

畫家名有數家	《中原音韻》序
蟬自潔其身	《中原音韻》序
朱顏如退卻	《中原音韻》序
合掌玉蓮花未開	《中原音韻》序
殘梅千片雪	《中原音韻》序

以上各曲曲文用字各本雖然或有參差，但卻不致乖離太多，隋樹森《全元散曲》一書已分別校出，下節分析曲作時，如無必要，一概以《全元散曲》正文爲準。

第二節　周德清的曲律實踐

何謂「曲律」？賴橋本先生《民國以來的曲學》一文說：

曲律之義有二：一爲曲之音律，一爲曲之格律。

現在，我們就從這兩個角度，來瞭解周德清作品的曲律實踐狀況。

一、周德清作品的「音律」實踐

周德清作《中原音韻》，就是爲了制訂曲的「音律」。虞集《中原音韻》序中說：

高安周德清工樂府、善音律，自著《中州音韻》一帙，分若干部，以爲正語之本，變雅之端。其法以聲之清濁，定字爲陰陽，如高聲從陽，低聲從陰，使用字者隨聲高下，措字爲詞，各有攸當，則清濁得宜而無凌犯之患矣。以聲之上下，分韻爲平仄，如入聲直促，難諧音調，成韻之入聲，悉派三聲，誌以黑白，使用韻者隨字陰陽，置韻成文，各有所協，則上下中律而無拘拗之病矣。是書既行，於樂府之士，豈無補哉！

周德清《中原音韻正語作詞起例》「作詞十法」中的知韻、入聲作平聲、陰陽、末句及定格各項，都是有關「音律」的。周德清「音律」理論是不是落實在自己的創作中呢？下面我們就來作一求證。

周德清「作詞十法」內「末句」一項說：

末句，「詩頭曲尾」是也，如得好句，其句意盡可爲末句，前輩已有某調末句是平煞，某調末句是上煞，某調末句是去煞，照依後項用之。夫平仄者：平者、平聲，仄者、上去聲也。後云上者必要上，去者必要去，上去者必要上去，去上上者必要去上仄，（注二）仄仄者上去、去上皆可，上上、去去若得迴避尤妙，若是古句且熟亦無害。

以下我們就來對照一下周德清曲作的用字情形。

㈠、「塞鴻秋」末句，周德清訂爲「平平仄仄平平去」，並說末字「上聲爲第二著」。周德清有「塞鴻秋」兩首，末句分別是「塞鴻一字來如線」與「醉魂不到藍關下」，除第一字「塞」「醉」平仄不合外，其餘盡合音律，尤其末字用去聲「線」、「下」及第三、四字「仄仄」處「一字」「不到」用「上去」（注三），迴避了同聲調字，尤妙。周德清在「定格」中有一段對前人所作「塞鴻秋」的說明：

塞鴻秋　春怨

腕冰消，鬆却黃金釧。粉脂殘，淡了芙蓉面。紫霜毫，蘸濕端溪硯。斷腸詞，寫在桃花扇。風輕柳絮天。月冷梨花院。恨鴛鴦不鎖黃金殿。

評曰：音律瀏亮。貴在「卻」「濕」二字上聲，音從上轉，取務頭也。韻腳若用上聲，屬下著。切不可以傳奇中全句比之。若得「天」字屬陽，更妙！「在」字上聲，尤佳。

周德清在二首「塞鴻秋」中，「卻」字位置分別爲「里」、「擁」，「濕」字位置分別爲「幾」、「美」，都是上聲，合於「音從上轉，取務頭」的音律。韻腳「殿」字的去聲位置，二首中分別是「線」、「下」，也是去聲字，屬「上著」。「在」字位置，二首中是「尺」、「味」，「尺」是「入聲作上聲」用，音律「尤佳」。

㈡、「朝天子」末句，周德清訂爲「仄仄平平去」，並說末字「上聲屬第二著」。周德清有「朝天子」兩首，末句分別是「不許愁人强」與「倒了葡萄架」，平仄全合，尤其末字「强」「架」屬去聲，是「第一著」。

㈢、「滿庭芳」末句，周德清訂爲「仄仄仄平平」。周德清有「滿庭芳」四首，末句分別是「長是灑西湖」、「萬古揖清芳」、「（那裡有）南北二朝分」（注四）、「屈死葬錢塘」，除第一字「長」「南」平仄不合外，其餘盡合音律。周德清在「定格」中有一段對張可久「滿庭芳」的說明：

滿庭芳　春晚

知音到此。舞雩點也。修禊羲之。海棠春已無多事。雨洗胭脂。誰感慨蘭亭古紙。自沈吟桃扇新詞。急管催銀字。哀絃玉指。忙過賞花時。

評曰：此一詞但取其平仄庶幾。若「此」字是平聲，屬第二著。喜「羲」字屬陰，妙。……妙在「紙」字起音，「扇」字去聲取務頭。若是「紙」字平聲，屬第二著，「扇」字上聲，止可作。

周德清在四首「滿庭芳」中，「此」字位置分別爲「武」、「君」、「品」、「廣」，「武品廣」是上聲，屬「第一著」，僅「君」用平聲，爲「第二著」。「羲」字位置分別爲「圖」、「功」、「輕」、「安」，其中「功輕安」是陰平字，爲「妙」著。「紙」字位置分別爲「夫」、「本」、「君」、「黨」，「本黨」二字上聲「起音」，「夫君」二字平聲，是「第二著」。「扇」字位置分別爲「

渡」、「笏」、「義」、「陷」，四字都是「去聲取務頭」，字字都合音律。

㈣、「紅繡鞋」末句，周德清訂爲「仄平平上去」。周德清有「紅繡鞋」四首，末句分別是「醉歸（來）驢背穩」、「（又）一年秋事了」、「（說）江山憔悴煞」、「酒（和）茶都俊煞」，除第三首第一字「江」平仄不合外，其餘盡合音律。周德清在「定格」中引張小山「紅繡鞋」末句「功名不掛口」，評曰：「妙在口字上聲」，這四首末字也都是上聲作結（注五），也可應一「妙」字。

㈤、「天淨沙」末句，周德清訂爲「平平仄仄平平」。周德清有「天淨沙」三首，末句分別是「小舟來販茶茶」、「女兒港到如今」，「（似）英雄征戰相持」，其中第一字「小」、「女」與第三字「來」、「征」不合平仄，其餘盡合音律。周德清在「定格」中，也有一段對馬致遠「天淨沙」的說明：

天淨沙　秋思

枯藤老樹昏鴉。小橋流水人家。古道西風瘦馬。夕陽西下。斷腸人在天涯。

評曰：前三對，更「瘦馬」二字「去上」，極妙！秋思之祖也。

周德清在三首「天淨沙」中，「瘦馬」位置，有兩首作「串瓦」、「劍戟」，都是「上去」，音律也與這首「天淨沙」相合。

㈥、「沈醉東風」末句，周德清訂爲「平仄仄平平去上」，並說末二字「去平屬第二著」。周德清有「沈醉東風」四首，末句都是「何處無魚羹飯喫」，除第三字平仄不合外，其餘盡合音律，末字「喫」是「入聲作上聲」，「飯喫」正好是「去上」，屬第一著。

(七)、「小桃紅」末句，周德清訂爲「仄仄仄平平」，周德清有「小桃紅」一首，末句是「(輸了的似)楚霸(王)刎江湄」，每字均合音律。前三字用「上去上」，同聲調字不連用，尤妙。

(八)、「調笑令」末句，周德清訂爲「平平仄仄平平」，周德清有「調笑令」一首，末句是「都無(那)半點瑕玼」，每字均合音律，第三，四字用「去上」，迴避了同聲調字，尤妙。

以上各曲，周德清大致都能遵守自訂的音律，少數不合的，也未必就是「音律不調」。依據鄭因百先生的《北曲新譜》，「塞鴻秋」末句作「十平十仄平平去」(注六)，第一字平仄不拘。「滿庭芳」末句作「十仄仄平平」(注七)，第一字平仄不拘。「紅繡鞋」末句作「十平平去卡」(注八)，第一字平仄不拘。「天淨沙」末句作「十平十仄平平」(注九)，第一、三字平仄不拘。則周德清在上述二十一曲用字情形，末句眞正「音律不合」的，只賸下「沈醉東風」第三字「無」當「仄」而「平」了(注一〇)，這一「例外」其實不僅發生在周德清身上，元人散曲中也是俯拾即得的(注一一)。所以整體說來，周德清是一位能遵守自訂音律的作家。

《中原音韻正語作詞起例》中的「作詞十法」，雖是現存時代最早且具規模的論曲文字，但對我們瞭解周德清曲律的實踐仍嫌不足，其因，一是所論及的曲牌只有四十多首；二是他並沒有對每首曲子的每一字訂定平仄。所以在此不得不借重後人訂定的曲譜來檢視周德清所作的每一首曲詞。

現行北曲文字譜較具影響力的有五種，一是明代寧獻王朱權《太和正音譜》，二是清代李玄玉《

北詞廣正譜》，三是周祥鈺等《九宮大成》，四是民初吳梅《北詞簡譜》，五是近代學者鄭因百先生《北曲新譜》。前四種各有優缺點，（注一二）《北曲新譜》後出轉精，所以下文就用《北曲新譜》所訂的平仄譜為準，來觀察周德清曲作的用字是否中律。

㈠《北曲新譜》「塞鴻秋」音律為：

十平十仄平平去。。十平十仄平平去。。十平十仄平平去。。十平十仄平 十仄仄平平·十仄平平去。。十平十仄平平去。。

周德清兩首「塞鴻秋」曲詞及音律如下：

長江萬里白如練。淮山數點青如澱。江帆幾片疾如箭。山泉千尺飛如電。晚雲都變露。新月初學扇。塞鴻一字來如線。

平平去上平平去。。平平去上平平去。。平平上去平平去。。平平平上平平去。。上平平去（去）。平去平平去。。去平上去平平去。。（注一三）

灞橋雪擁驢難跨。剡溪冰凍船難駕。秦樓美醞添高價。陶家風味都閑話。羊羔飲興佳。金帳歌聲罷。醉魂不到藍關下。

仄平上上平平去。。上平平去平平去。。平平上去平平去。。平平平去平平去。。平平上去平。。平去平平去。。去平上去平平去。。（注一四）

㈡《北曲新譜》「朝天子」音律為：

仄平。仄平。十仄平平去。十平十仄〔仄平／十仄〕平。十仄平平去。十仄平平・〔平平平去／十仄平平〕。十平十仄平。仄平。仄平。十仄平平去。

周德清兩首「朝天子」曲詞及音律如下：

月光。桂香。趁著風飄蕩。砧聲催動一天霜。過雁聲嘹喨。叫起離情。敲殘愁況。夢家山身異鄉。夜涼。枕涼。不許愁人强。

去平。去平。去（平）平平去。平平平去上平平。去去平平去。去上平平。平平平去。去平（平）平去平。去平。上平。上上平平去。（注一五）

鬢鴉。臉霞。屈殺將陪嫁。規模全是大人家。不在紅娘下。笑眼偷瞧。文談回話。眞如解語花。若咱。得他。倒了葡萄架。

去平。上平。上上平平去。平平平去去平平。上去平平去。去上平平。平平平去。平平上上平。去平。上平。上上平平去。

㈢《北曲新譜》「滿庭芳」音律爲：

平平仄平。十平十仄・十仄平平。十平十仄平平去。十仄平平。十仄平平仄十。仄平十仄平平。平平去。平平去平。十仄仄平平。

周德清四首「滿庭芳」曲詞及音律如下：

披文握武。建中興廟宇。載清史圖書。功成卻被權臣妒。正落奸媒。閃殺人望旌節中原士夫。誤殺人棄丘陵南渡鑾輿。錢塘路。愁風怨雨。長是灑西湖。

平平上上。(去)平平去上。(上)平上平平。平平上去平平去。去去平平。(上上平去)平上平平去平。(去上平去)(平)平平去平平。平平去。平平去上。平去上平平。

安危屬君。立勤王志節。比翊漢功勳。臨機料敵存威信。際會風雲。似恁地盡忠勇匡君報本。也消得坐都堂秉笏垂紳。閑評論。中興宰臣。萬古揖清芬。

平平(平)平。(去)平平去上。(上)去去平平。平平去(平)平平去。去去平平。(去去去去)平上平平去上。(上平上去)(平)平上去平平。平平去。平平(上)平。去上上平平。

官居極品。欺天誤主。賤土輕民。把一場和議爲公論。妒害功臣。通賊虜懷奸誑君。那些兒立朝堂仗義依仁。英雄恨。使飛雲幸存。那裡有南北二朝分。

平平(平)上。平平去上。去上平平。(上)上平平去平平去。去去平平。(平)平上平平去平。(去平平)去平(平)去去平平。平平去。(上)平平去平。(上上上)平上去平平。

謀淵略廣。論兵用武。立國安邦。佐中興一代賢明將。怎生來險幸如狼。蓄禍心奸私放黨。附權臣構陷忠良。朝堂上。把一箇精忠岳王。屈死葬錢塘。

平平去上。去平去上。去上平平。(上)平平上去平平去。(上平平)上去平平。去去(平)平平去上。去平平(去)去平平。平平去。(上上去)平平去平。上上去平平。

(四)《北曲新譜》「紅繡鞋」音律爲：

十仄平平平上去。。十平十仄平平上。。十平仄平仄平仄平平。。平十仄・仄平平。。十平平去平上。。

周德清四首「紅繡鞋」曲詞及音律如下：

茅店小斜挑草稕。竹籬疎半掩柴門。一犬汪汪吠行人。題詩桃葉渡。問酒杏花村。醉歸來驢背穩。

平去（上）平平上去。。上平平（去）上平平。。上上平平去平平。。（平平）平去去。（去上）去平平。。去平（平）平去上。。

穿雲響一乘山簷。見風消數盞村醪。十里松聲畫難描。楓林霜葉舞。蕎麥雪花飄。又一年秋事了。

平（平）（上）（上）平平平。。（去）平平去上平平。。平上平平去平平。。（平平）平去上。（平去）上平平。（去）上平平去上。。

雪意商量酒價。風光投奔詩家。準備騎驢探梅花。幾聲沙嘴雁。數點樹頭鴉。說江山憔悴煞。

上去平平上去。。平平平去平平。。上去平平去平平。。（上平）平上去。（去上）去平平。。（上）平平平去上。。

共妾圍爐說話。呼童掃雪烹茶。休說羊羔味偏佳。調情須酒興。壓逆索茶芽。酒和茶都俊煞。

去去平平上去。。平平上上平平。。平上平平去平平。。（平平）平上去。（去去）上平平。。上平平平去上。。

㈤《北曲新譜》「陽春曲」音律為：

十平十仄平平厶。。十仄平平十仄平。。十平十仄仄平平。。平平卆。。十仄仄平平。。

周德清六首「陽春曲」曲詞及音律如下：

千山落葉巖巖瘦。百結柔腸寸寸愁。有人獨倚晚妝樓。樓外柳。眉葉不禁秋。

平平去去平平去。。上上平平去去平。。上平平上上平平。。平去上。。平去上平平。。

雨晴花柳新梳洗。日暖蜂蝶便整齊。曉寒鶯燕旋收拾。催喚起。早赴牡丹期。

上平平上平平上。。去上平平去上平。。上平平平去去平。。平平上。。上去上平平。。

蹬挑斜月明金轡。花壓春風短帽簷。誰家簾影玉纖纖。粘翠靨。消息露眉尖。

平平平去平平去。。平去平平上去平。。平平平上去平平。。平去上。。平上去平平。。

月兒初上鵝黃柳。燕子先歸翡翠樓。梅魂休暖鳳香篝。人去後。鴛被冷堆愁。

去平平去平平上。。去上平平上去平。。平平平上去平平。。平去（去）。。平去上平平。。

素梅又見樽前唱。紅葉何時水上忙。姓名端的不尋常。韓壽香。一字暗包藏。

去平去去平平去。。平去平平上去平。。去平平上上平平。。平去平。。上去去平平。。

半池暖綠鴛鴦睡。滿徑殘紅燕子飛。一林老翠杜鵑啼。春事已。何日是歸期。

去平上去平平去。。上去平平去上平。。上平上去去平平。。平去上。。平去去平平。。

㈥**《北曲新譜》「天淨沙」音律爲：**

十平十仄平平。十平十仄平平。。十仄平平ム卜。。十平平ム・十平十仄平平。。

周德清三首「天淨沙」曲詞及音律如下：

根窠生長靈芽。旗槍搠立烟花。不許馮魁串瓦。休抬高價。小舟來販茶茶。
平平平上平平。。平平去去平平。上上平平去上。。平平平去。。上平平去平平。。
廬山面已難尋。孤山鞋不曾沈。掩面留鞋意深。不知因甚。女兒港到如今。
平平去上平平。。平平平上平平。。上去平平去去。。上平平去。。上平上去平平。。（注一六）
盤中排營寨城池。眼前無弓箭旌旗。心內有刀槍劍戟。局面兒幾般形勢。似英雄征戰相持。
平平（平）平去平平。。（上）平平平去平平。平去（上）平平去上。。（上去平）上平平平。。（去）
平平平去平平。。

㈦《北曲新譜》「柳營曲」音律為：

十仄平。。仄平平。。十平仄平平厶平。。十仄平平。。十仄平平。。十仄仄平平。仄十平，十仄平平。。仄十平，十仄平平。。十平平仄十。十仄仄平平。。平。。十仄仄平平。

周德清三首「柳營曲」曲詞及音律如下：

暮雲收。冷風颼。到中宵月來清更幽。倚遍江樓。望斷汀洲。雪月照人愁。舍梅花誰是交游。飲松醪自想期儔。王子猷干罷手。戴安道且蒙頭。休。誰駕剡溪舟。
去（平）平。。上平平。。（去）平平去平平去平。。上去平平。。去去平平。。上去去平平。。上平平平去平平。。上平平去上平平。。（平）上平平去。。（去）平去上平平。。平。。平去上平平。。
一葉身。二毛人。功名壯懷猶未伸。夜雨論文。明月傷神。秋色淡離樽。離東君桃李侯門。過西風楊柳漁村。酒船同棹月。詩擔自挑雲。君。孤雁不堪聽。
上去平。。去平平。。平平去平平去平。。去上（去）平。。平去平平。。平上去平平。。（平）平平平上平平
。。去平平上平平。。去平平去去。。平去去平平。平。。平去上平平。。

燕子來。海棠開。西廂尙愁音信乖。問柳章臺。採藥天台。歸去卻傷懷。恰嗔人踏破蒼苔。不知他行出瑤階。見剛剛三寸跡。想窄窄一雙鞋。猜。多早晚到書齋。
去上平。。上平平。。平平去平平去平。。去上平平。。上去平平。。平去上平平。。上平平去去平平。。上平平平上平平。。（去）平平平去上。。（上）上上上平平。。平。。（平）上上去平平。。

(八)《北曲新譜》「沈醉東風」音律爲：

十十仄，平平厶卡。。十十平，十仄平平。。十仄平．平平仄。。仄平十，十仄平平 仄平平仄。。十仄平平仄仄平。。
十十仄，平平去卡。。

周德清四首「沈醉東風」曲詞及音律如下：

流水桃花鱖美。秋風蓴菜鱸肥。不共時。皆佳味。幾箇人知。記得荆公舊日題。何處無魚羹飯喫。
平上平平去上。。平平平去平平。。上去平。。平平去。。上去平平。。去上平平去去平。。平去平平平去上。。

（注一七）

羊續高高掛起。馮驩苦苦傷悲。大海邊。長江內。多少漁磯。記得荆公舊日題。何處無魚羹飯喫。
平平平平去上。。平平上上平平。。去上平。平平去。。平上平平。。去上平平去去平。。平去平平平去上。。

鯤化鵬飛未必。鯉從龍去安知。漏網難。呑鈎易。莫過前溪。記得荆公舊日題。何處無魚羹飯喫。

平去平平去去。。上平平去平平。。去上平。。平平去。。去去平平。。去上平平去去平。。平去平平平去上。。

藏劍心腸利己。呑舟度量容誰。棹月歸。邀雲醉。縮項鯿肥。記得荆公舊日題。何處無魚羹飯喫。

平去平平去上。。平平去去平平。。去去平。。平平去。。上去平平。。去上平平去去平。。平去平平平去上。。

(九)《北曲新譜》「蟾宮曲」音律爲：

十十十，十仄平平。。十仄平平・十仄平平。。十仄平平。十平十仄。十仄平平。。十十十，十平ム平。。十十十，十仄平平。。十仄平平。。十仄平平・十仄平平。。

周德清四首「蟾宮曲」曲詞及音律如下：

折垂楊都是殘枝。詩滿銀箋。酒勸金巵。自在廬山。君遊鄂渚。兩地相思。白鹿洞誰談舊史。黃鶴樓又有新詩。撚斷吟髭。笑把霜毫。滿寫烏絲。

平平平平去平平。。平上平平。。上去平去。。去去平平。。平平去上。。上去平平。。上去去平平去上。。平平平去上平平。。上去平平。。去上平平。。上上平平。。

唾珠璣點破湖光。千變雲霞。一字文章。吳楚東南。江山雄壯。詩酒疎狂。正雞黍樽前月朗。又鱸蓴江上風涼。記取他鄉，落日觀山。夜雨連床。

去平平上去平平。。平去平平。。上去平平。。平上平平。平平平去。。平上平平。。去平上平平去上。。去平平平去平平。。去上平平。。去去平平。。去上平平。。

宰金頭黑腳天鵝。客有鍾期。座有韓娥。吟既能吟。聽還能聽。歌也能歌。和白雪新來較可。放行雲飛去如何。醉睹銀河。燦燦蟾孤。點點星多。

上平平上上平平。。上上平平。去上平平。。平去平平。平平平去。平上平平。。平上平平平上上。。去平平平去平平。。去上平平。。去去平平。上上平平。。

倚篷窗無語嗟呀。七件兒全無。做甚麼人家。柴似靈芝。油如甘露。米若丹砂。醬甕兒恰纔夢撒。鹽瓶兒又告消乏。茶也無多。醋也無多。七件事尚且艱難。怎生教我折攀花。

上平平平上平平。。上去（平）平平。去去（平）平平。。平去平平。平平平去。上去平平。。去去平上平去上。。平平平去去平平。。平上平平。去上平平。（上去去）去上平平。（上平去上）平上平平。。

（注一八）

(十)《北曲新譜》「一枝花」音律為：

十平十ム平・十仄平平ム。。十平平ム十・十仄仄平平。。十仄平平。。十仄平平ム。。平平十ム平。。仄十平，十仄平平・十十十，十平去尗。。

周德清一首「一枝花」曲詞及音律如下：

正伯牙志未諧。遇鍾子心能解。使高山群虎嘯。要流水老龍哀。灑落襟懷。一笑乾坤大。高談雲霧開。幾行北雁吞聲。一片西山失色。

（去）上平去去平。。（去）平上平平上。。（上）平平平上去。（去）平上上平平。。上去平平。。上去

平平去。。平平平去平。。（上平）上去平平。上去平平上上。。（注一九）

(十)《北曲新譜》「梁州」音律爲：

十十仄，十平ム本至ム·仄十平，十仄平平。。十平十仄平平ム。。十平十仄·十仄平平。。十平十仄·十仄平平。。仄平十，十仄平平。。仄平十，十仄平平。。仄平十，十仄平平。十十仄，十平ム本至ム·仄平平，十仄平平。。十平·仄至。。十平十仄平平ム。。平仄仄平去。。十仄平平十仄平·十仄平平。。

周德清一首「梁州」曲詞及音律如下：

無人我驚心句險。有江山空日烟埋。相逢盡是他鄉客。我淹吳楚。君顯江淮。雄遊海宇。挺出人材。箕裘事業合該。簪纓苗裔傳來。大胸襟進履圯橋。壯遊玩乘槎大海。老風波走馬章臺。千載。後代。子孫更風流煞。萬一見此豪邁。玉有潤難明借月色。出落吾儕。

平平上平平去上。上平平平去平平。。平平去去平平上。。上平平上。平上平平。。平平上上。上上平平。。平平去去平平。。平平平去平平。。去平平去上平平。去平平去平平去上。。上平平上上平平。。平上。。去去。。上平去平平上。。去上去上平去。。去上去平平去去上。。上去平平。。（注二〇）

(十一)《北曲新譜》南呂「隔尾」音律爲：

十平十仄平平ム。。十仄平平十仄平。。十仄平平仄平平仄ム。。仄平。。仄平。。十仄平平去平上。。

周德清一首南呂「隔尾」曲詞及音律如下：

向管中窺豹那知外。坐井底觀天又出來。運斧般門志何大。出刨箇好歹。但成箇架格。未敢望將如棟樑採。

（去）上平平去上平去。。去上（上）平平去上平。。去上平平去平去。。（上上去）上（去）。。（去平去）去（去）。。（去）上去平平去平上。。

(十三)《北曲新譜》「鬥鵪鶉」音律爲：

十仄平平・十平厶卡。。十仄平平・十平厶卡。。十仄平平・十平厶卡。。十十・十十卡。。十仄平平・十平厶卡。。

周德清兩首「鬥鵪鶉」曲詞及音律如下：

四角盤中。三十騎裡。多少機關。包藏見識。席上風前。花間樹底。起鬥剛。各論智。盤樣新奇。聲清韻美。

去上平平。平平去上。。平上平平。平平去上。。上去平平。平平去上。。上去平。上去（去）。。平去平平。。平平去上。。

不辨珉玒。紛紛貫耳。自睹瓊瑤。常常掛齒。匡皐相逢。荆山在此。這樂名。是誰賜。樣稱纖腰。光搖嫩指。

上去平平。平平去上。。去上平平。平平去上。。平（平）平平。平平去上。。去去平。去平（去）。。去去平平。平平上上。。

(十四)《北曲新譜》「紫花兒」音律為：

十平十仄・十仄平平・十仄平平。。十平十仄・十仄平平。。平平。。十仄平平十ㄙ平 ㄙ平至。。十平至去 十仄平平。。十仄平平・十仄平平 仄平平仄。。

周德清兩首「紫花兒」曲詞及音律如下：

月兒對渾如水照。夕兒花有若雲生。點兒疎恰似星稀。馬兒齊擺下。色兒大休擲。會撚色的便宜。更遞馬雙行休倒提。雖憑色難同使力。遞有高低。要識遲疾。

(去平去)平平上去。(上平平)上去平平。(上平平)上去平平。。上(平)平上去。上(平)去平平。。(去上上上)平平。。(平)去上平平平去平。。(平平上)平平上去。。去上平平。。去上平平。。

卻是紅如鶴頂。赤若雞冠。白似羊脂。是望月犀牛獨自。是穿花鸞鳳雄雌。是兔兒靈芝。是蝸虎是翎毛是鷺鷥。是海青拏天鵝不是。我則是想像因而。你敢那就裡知之。

(上去)平平平上。上去平平。上去平平。。(去去去)平平平去。。(去平平)平去平平。。(去去平)平平。。(去)平上(去)平平去去平。。(去上平平)平平上去。。(上上去)上去平平。。(上上去)去上平平。。

(十五)《北曲新譜》「小桃紅」音律為：

十平十仄ㄙ平平。。十仄平平ㄙ。。十仄平平ㄙ平去。。仄平平。。十平十仄平平去。。十平ㄙ至・十平十ㄙ・十仄仄平平。。

周德清一首「小桃紅」曲詞及音律如下：

散二似蕭何追韓信待回歸。眾軍士傍觀立。散三似敬德趕秦王不相離。有叔寶後跟隨。百一局似關雲長獨赴單刀會。敗到這其間有幾。贏了的百中無一。輸了的似楚霸王刎江湄。

（去去去）平平（平）平去去平平。。（去）平去平平去。。（去平去）去上（上）平平上平去。。（上上上）去平平。。（上上上去）平平平（平）去平平去。。（去去去）平平上上。。（平上上）上平平上。。（平上上去）上去（平）上平平。。

(十六)《北曲新譜》「三台印」音律為：

平平去。。平平去。。平平ㄙ卡。。十十仄。仄平平。。平平ㄙ卡。。十平仄十坙ㄙ坙。。十平仄十坙ㄙ平。。十仄平平・坙平去上。。

周德清一首「三臺印」曲詞及音律如下：

兩家局安營地。施謀智。似挑軍對壘。等破綻。用心機。色兒似飛沙走石。漢高皇對敵楚項籍。諸葛亮要擒司馬懿。那兩個地割鴻溝。這兩箇兵屯渭水。

（上平上）平平去。。平平去。。（去）平平去上。。上去去。。去平平。。（上平去）平平上平。。（去）平平去（平）上去平。。平（上）（去）去平平上（去）。。（去上去）去上平平。（去上去）平平去上。。

(十七)《北曲新譜》「金蕉葉」音律為：

十仄平平ム平。。十仄平平ム平。。十仄平平ム平。。十仄平平ム平。。

周德清一首「金蕉葉」曲詞及音律如下：

撤底似孫臏伏兵未起。外划似孫武挑兵教習。五粱似呂望兵臨孟水。六粱似呂布遭圍下邳。

（上上去）平去平平去上。。（去平去）平上平平去平。。（上平去）上去平平去上。。（去平去）上去平平去平。。

㈥《北曲新譜》「含笑花」音律爲：

十平。。仄平平。。十仄平平十仄平。。十平十十平平去。。十十平平去仄平平。。十十仄平平ム平上。。十平十亻十仄平平平平去。。

周德清一首「含笑花」，一首「調笑令」曲詞及音律如下：（注二二）

暗疾。函谷孟嘗歸。不下鴻門樊噲急。失家如誤了吳元濟。點頻如跳溪劉備。無粱如火燒曹孟德。撞門如拒水張飛。

去平。。（平上）去平平。。上去平平平去上。。上平（平）去上平平去。。上平（平）去平平去。。平平（平）上平平去上。。去平（平）去上平平。。

細思。好稱瘦腰肢。圍上偏宜舞柘枝。性溫和雅稱芳名字。料應來一般胸次。色光澤瑩如美豔姿。都無那半點瑕玼。

去平。。（上平）去平平。。平去平平上去平。。去平平上（平）平平去。。去去（平）上平平去。。上平（平）平（平）上去平。。平平（去）去上平平。。

㈨《北曲新譜》「小沙門」音律爲：

十仄十平仄平。。十平十仄平平。。平平ム平平ム平。。十十十・仄平平。。平平。。

周德清兩首「小沙門」曲詞及音律如下：（注二三）

把門似臨潼會裡。搊頰如細柳軍圍。看諸葛縱擒蜀孟獲。兩下裡。馬來回。堪題。

（上）平去平平去上。。（去）平平去上平平。。（去）平（上）去平平去平。上去上。。上平平。。平平。。

別是箇玲瓏樣子。另生成剔透心兒。爲風流儘教撚斷髭。不負我。贈新詩。新詞。

（平）去去平平去上。。（去）平平上去平平。。（去）平平上去上去平。。上去上。去平平。。平平。。

㈩《北曲新譜》「聖藥王」音律爲：

十十平・十十平。。十平十仄仄平平。。十十平・十十平。。十平十仄仄平平。。十仄仄平平。。

周德清五首「聖藥王」曲詞及音律如下：

等一擲。心暗喜。併合梁恨不的馬都回。恰四六十。又三四七。更么三一二緊相隨。心急馬行遲。

上上平。。平去上。。去平平去（上上）上平平。。（上）去去平。。（去）平去上。。去平平上去（上）平平。。平上上平平。。

販了遲。卻變疾。頭類捲盡可傷悲。色不隨。梁不齊。不甫能打的箇馬兒回。他一馬走如飛。

去上平。。上去平。。平平上去上平平。。上上平。。平上平。。上（上）平平（上）去上平平。。（平）上上上平平。。

么五梁沒氣力。么四梁終較得。么三梁道吃了棧羊肥。鞲肚梁破到底。單單梁無用的。二梁誰道不空回。則不破怎支持。

平上（平去去）（去）。。平去（平平上）上。。平平（平）去上（上）去平平。。（去去平）去去上。。（平平平）平去上。。去平平去上平平。。（上）上去上平平。。

若論遲。有甚奇。破著呵不打杠驅馳。怕兩帖子救一。道兩馬可當十。巴到家不得馬休題。更有截七帶去的。

去平平。。上去平。。去平（平）上上上平平。。（去上上）上去上。。（去上上）上平平。。（平）去平上上上平平。。（去上）平上去（去）（上）。。

重甑視。巧意思。羽毛枝幹細如絲。溫潤資。雕琢時。那其間應是辨妍媸。必定是明師。

去去（去）。。上去平。。上平平去去平平。。平去平。。平上平。。（去）平平平去去平平。。去去去平平。。

㈢《北曲新譜》「麻郎兒」音律爲：

平平仄平/平仄。。十仄平平。。十十十，十平仄平。。十十十，十平十去/ム平平。。

周德清二首「麻郎兒」曲詞及音律如下：

到此際人難强嘴。空打的馬不停蹄。色不順那堪性急。焦起來更加錯遞。
（去上去）平平去上。（平上上）上上平平。上上去上平去上。平上平去平上去。
著的可知見疾。當局委實著迷。休懼怯睚他免回。如征戰要加神氣。
平（上上）平去平。（平上）上（平）平平。平去上平平上平。平平去去平平去。

㈢《北曲新譜》「絡絲娘」音律爲：

十十十，十平厶卡。十十十，（平平厶卡／仄仄平平）。十十十平（仄平厶／十仄卡）。十平十厶。

周德清一首「絡絲娘」曲詞及音律如下：

怕的是蓋著門墕著頻又起。村的是把著馬揭著頭蓋底。采到後喝著的都應的。也隨邪順著人意。
（去上去）去平上去（平）平去上。（平上去）上平上（上）（平）平去上。（上去）去上平（上）平去上。（上平平）去平平去。

㈢《北曲新譜》「綿答絮」音律爲：

十平十厶・十仄平平。（十平十仄／十仄平平）・（十仄平平／十平十仄）。十仄平平十厶平。十仄平平十厶平。十仄平平・十平十厶平。

周德清一首「綿答絮」曲詞及音律如下：

明皇當日。力士跟隨。曾拈色數。殢殺楊妃。因呼得四。勑賜穿緋。以色娛人脫布衣。此物揚名出禁闈。疾變遲遲變爲疾。白轉紅紅轉做黑。

平平平去。去去平平。平平上去。去上平平。平平上去。去去平平。上上平平上去平。上去平平上去平。（平去平）平去平平。上（上）平（平）上上上。（注二三）

㈣《北曲新譜》越調「尾」音律爲：

十平十仄平平去。十仄平平去卡。十十仄平平．平平去平上。（注二四）

周德清兩首越調「尾」曲詞及音律如下：

翻雲覆雨無碑記。則袖手旁觀笑你。休把色兒嗔。宜將世情比。

平平去上平平去。上去上平平去上。平上上平平。平平去平上。

掛金魚自古文章士。未敢望當來衣紫。有福後必還咱。上心來記著你。

（去）平平去上平平去。去上去平平去上。上上（去）去平平。（去）平平去平上。

以上總共分析了周德清所存五十七首散曲的平仄句式，其中除「沈醉東風」四首、「一枝花」一首、「梁州」一首等六首部分句式當另有所本外，大致都見於《北曲新譜》中。今即以此爲準，再從押韻、平仄是否合律方面，分別統計說明之。

1.押韻部分：總計三百五十一處必須押韻，周德清完全符合，十三處不可押韻，周德清也全都沒有押。而且所有韻字都與《中原音韻》的分部相合，比較元代名曲作家，其用韻更爲嚴謹。（注二五）

2.平仄部分：平仄全合者計三十七首，有平仄不合者計二十首。二十首之中，僅二十九字平仄不合音律，而二十九字中又包括「露、著、屬、敵、極、格、葛、澤、力、的、實、揭」等十二個「入派三聲」字。「入派三聲」是否得當，至今仍無定論（注二六），如暫且不計爲出律，則周德清眞正平仄不合者只有十數字。

從上述的統計看來，周德清的確是一位相當徹底的「音律」實踐者。

二、周德清作品的「格律」實踐：

曲詞除去「押韻」、「平仄」、「陰陽」、「四聲」等「音律」部分外，「造語」、「用事」、「用字」、「對偶」是否恰當，就是所謂「格律」的問題了。周德清「作詞十法」在「造語」、「用事」、「用字」方面的要求，並不容易以較科學的方法驗證，如「造語」一項說：「可作樂府語、經史語、天下通語；不可作俗語、蠻語、謔語、嗑語、市語、方語……。」「用事」一項只說：「明事隱使，隱事明使。」「用字」一項也只說：「切不可用生硬字、太文字、太俗字。」這些話的意思難以客觀認定，所以在此不擬拿周德清的曲作來比對。唯有「對偶」一項，周德清說：

逢雙必對，自然之理，人皆知之。

再加上他所說的：

扇面對　調笑令——第四句對第六句，第五句對第七句。

救尾對　紅繡鞋——第四句、第五句、第六句爲三對。

這些似乎都可以一一對照排比來確認的。但「對偶」不單屬於文字的形式問題，和曲調的板式更密不可分。汪經昌《曲學例釋》說：

> 夫一曲之板式，即詞章上之句法，北詞固可挪移板式，然亦有一定之通例。……就詞章言之，遇板行逢雙處，須以合璧對應之；板式三行相同自成一組者，須以扇面對應之；板行逢雙，位在曲首者，則須以平頭對應之；板式雙行，位在曲尾者，則須以救尾對應之；其板式成連環者，尤須以連環句應之。若夫孰爲疊句，孰爲襯句，亦須以板式爲據。故恪遵板式，則字句有歸而曲格乃見。

曲調的板式今多不傳，我們只能從曲家所歸納的句法通則略爲推訂。下面就先從「逢雙必對」檢視周德清每一曲牌的詞作。

長江萬里白如練　灞橋雪擁驢難跨
淮山數點青如澱　剡溪冰凍船難駕（「塞鴻秋」一、二句）

江帆幾片疾如箭　秦樓美醞添高價
山泉千尺飛如電　陶家風味都閑話（「塞鴻秋」三、四句）

晚雲都變露　羊羔飲興佳
新月初學扇　金帳歌聲罷（「塞鴻秋」五、六句）

（月光（鬢鴉
桂香　臉霞（「朝天子」一、二句）
（叫起離情（笑眼偷瞧
敲殘愁況　文談回話（「朝天子」六、七句）
（夜涼（若咱
枕涼　得他（「朝天子」九、十句）
（建中興廟宇（立勤王志節（欺天誤主（論兵用武
載清史圖書　比翊漢功勳　賤土輕民　立國安邦（「滿庭芳」二、三句）
（旌節中原士夫（忠勇匡君報本（賊虜懷奸誑君（禍心奸私放黨
丘陵南渡鑾輿　都堂秉笏垂紳　朝堂仗義依仁　權臣構陷忠良（「滿庭芳」六、七句）
（茅店小斜挑草稕（穿雲響一乘山篭（雪意商量酒價（共妾圍爐說話
竹籬疎半掩柴門　見風消數盞村醪　風光投奔詩家　呼童掃雪烹茶（「紅繡鞋」一、二句）
（題詩桃葉渡（楓林霜葉舞（幾聲沙嘴雁（調情須酒興
問酒杏花村　蕎麥雪花飄　數點樹頭鴉　壓逆索茶芽（「紅繡鞋」四、五句）

〈千山落葉巖巖瘦　〈雨晴花柳新梳洗　〈鞓挑斜月明金韂
百結柔腸寸寸愁　日暖蜂蝶便整齊　花壓春風短帽簷

〈月兒初上鵝黃柳　〈素梅又見樽前唱　〈半池暖綠鴛鴦睡
燕子先歸翡翠樓　紅葉何時水上忙　滿徑殘紅燕子飛（「陽春曲」一、二句）

〈根窠生長靈芽　〈盧山面已難尋　〈盤中排營寨城池
旗槍掤立烟花　孤山鞋不曾沈　眼前無弓箭旌旗（「天淨沙」一、二句）

〈暮雲收　〈一葉身　〈燕子來
冷風颼　二毛人　海棠開（「柳營曲」一、二句）

〈倚遍江樓　〈夜雨論文　〈問柳章臺
望斷汀洲　明月傷神　採藥天台（「柳營曲」四、五句）

〈舍梅花誰是交游　〈離東君桃李侯門　〈恰嗔人踏破蒼苔
飲松醪自想期儔　過西風楊柳漁村　不知他行出瑤階（「柳營曲」七、八句）

〈王子猶干罷手　〈酒船同棹月　〈見剛剛三寸跡
戴安道且蒙頭　詩擔自挑雲　想窄窄一雙鞋（「柳營曲」九、十句）

〈流水桃花鱖美　〈羊續高高掛起　〈鯤化鵬飛未必　〈藏劍心腸利己
秋風蓴菜鱸肥　馮驩苦苦傷悲　鯉從龍去安和　呑舟度量容誰（「沈醉東風」一、二句）

〈不共時　〈大海邊　〈漏網難　〈棹月歸
皆佳味　長江內　呑　易　邀雲醉（「沈醉東風」三、四句）

〈詩滿銀箋　〈千變雲霞　〈客有鍾期　〈七件兒全無
酒勸金巵　一字文章　座有韓娥　做甚麼人家（「蟾宮曲」二、三句）

〈自在廬山　〈吳楚東南　〈吟既能吟　〈柴似靈芝
君遊鄂渚　江山雄壯　聽還能聽　油如甘露（「蟾宮曲」四、五句）

〈白鹿洞誰談舊史　〈正雞黍樽前月朗　〈和白雪新來較可
黃鶴樓又有新詩　又鱸蓴江上風涼　放行雲飛去如何

〈醬甕兒恰纔夢撒
鹽瓶兒又告消之（「蟾宮曲」七、八句）

〈正伯牙志未諧
遇鍾子心能解（「一枝花」一、二句）

〈使高山群虎嘯
要流水老龍哀（「一枝花」三、四句）

〈幾行北雁吞聲
一片西山失色（「一枝花」八、九句）

〈無人我驚心句險
有江山空日烟埋（「梁州」一、二句）

〈我淹吳楚
君顯江淮（「梁州」四、五句）

〈雄遊海宇
挺出人材（「梁州」六、七句）

〈箕裘事業合該
簪纓苗裔傳來（「梁州」八、九句）

〈壯遊玩乘槎大海
老風波走馬章臺（「梁州」十一、十二句）

千載
〈後代（「梁州」十三、十四句）
管中窺豹那知外
〈井底觀天又出來（「隔尾」一、二句）
四角盤中　不辨珉玒
〈三十騎裡　〈紛紛貫耳（「鬥鵪鶉」一、二句）
席上風前　匡皐相逢
〈花間樹底　〈荊山在此（「鬥鵪鶉」五、六句）
馬兒齊攛下　是望月犀牛獨自
〈色兒大休擲　〈是穿花鸞鳳雄雌（「紫花兒」四、五句）
敗到這其間有幾
〈贏了的百中無一（「小桃紅」六、七句）
漢高皇對敵楚項籍
〈諸葛亮要擒司馬懿（「三台印」六、七句）

那兩箇地割鴻溝

這兩箇兵屯渭水（「三台印」八、九句）

撤底似孫臏伏兵未起

外划似孫武挑兵教習（「金蕉葉」一、二句）

五梁似呂望兵臨孟子

六梁似呂布遭圍下邳（「金蕉葉」三、四句）

把門似臨潼會裡　　別是個玲瓏樣子

㼽頦如細柳軍圍　　另生成剔透心兒（「小沙門」一、二句）

怕的是蓋著門㼽著頦又起

村的是把著馬揭著頭蓋底（「絡絲娘」一、二句）

以上九十三組逢雙的句子，除去「蟾宮曲」之「七件兒全無」「做甚麼人家」及「鬥鵪鶉」之「不辨珉玒」「紛紛貫耳」二組對偶不工外，其他各組都能屬對切當。

周德清兩首「調笑令」用字，也合於四六、五七句對隅的「扇面對」，內容是：

失家如誤了吳元濟　性溫和雅稱芳名字
（無梁如火燒曹孟德　色光澤瑩如美豔姿　（「調笑令」四、六句）
點頰如跳溪劉備　料應來一般胸次
（撞門如拒水張飛　都無那半點瑕玼　（「調笑令」五、七句）

周德清又有四首「紅繡鞋」，末三句可以用「救尾對」，所謂「救尾對」是指末句意境稍弱，則再造一對句，使它在排比對偶形式上取勝，以「救尾」句的不足，這種對句形式也可以不用，只要末句句意佳即可。而周德清四首「紅繡鞋」都不用「救尾對」，這並非表示沒有實踐他所講的格律，我們反倒可以說周德清自信末句不弱，沒有必要用形式上的對偶來補救，這四首的末三句分別是：

題詩桃葉渡。問酒杏花村。醉歸來驢背穩。
楓林霜葉舞。蕎麥雪花飄。又一年秋事了。
幾聲沙嘴雁。數點樹頭鴉。說江山憔悴煞。
調情須酒興。壓逆索茶芽。酒和茶都俊煞。

末句都增一襯字，明顯地不和上兩句對偶，而且末句總結四、五句，如果只圖對偶，文意必無法收束。由此看來，周德清以意境取勝，而不願以形式悅人，這就更是他「格」高的表現了。

第三節　周德清曲作鑑賞

周德清的曲作於曲律與文詞意境兩方面，在元代就已經受到時人的贊賞，虞集曾介紹周德清說：

> 自製樂府若干調，隨時體製，不失法度，屬律必嚴，比字必切，審律必當，擇字必精。……余昔在朝，以文字爲職，樂律之事，每與聞之，嘗恨世之儒者，薄其事而不究心，俗工執其藝而不知理，由是文、律二者，不能兼美。……當是時，苟得德清之爲人，引之禁林，相與討論斯事，豈無一日起余之助乎！

翰林學士歐陽玄也說：

> 高安周德清，通聲音之學，工樂章之詞，嘗自製聲韻若干部，樂府若干篇，皆審音以達詞，成章以協律，所謂詞、律兼優者。

瑣非復初更稱美周德清說：

> 作詞有法，皆發前人之所未嘗發者；所作樂府、回文、集句……，皆作今人之所不能作者。……長篇短章，悉可爲人作詞之定格。贈人黃鍾云：篇篇句句靈芝，字字與人爲樣子。其亦自道也。以余觀京師之目，聞雅樂之耳，而公議曰：德清之韻不獨中原，乃天下之正音也；德清之詞，不惟江南，實當時之獨步也。

現代學者周篤文、傅正谷、劉維俊等曾對周德清部分曲作詳加賞析，下面就借重現代鑑賞者的眼光，擇要選錄於后，以窺周德清作品佳妙之處。

※　※　※　※

〔正宮〕塞鴻秋　潯陽即景二首

長江萬里白如練。淮山數點青如澱。江帆幾片疾如箭。山泉千尺飛如電。晚雲都變露，新月初學扇，塞鴻一字來如線。

《潯陽即景》第一首是描寫潯陽（即今九江市）的景色。在新月初生的秋夜，周德清在江上極目遠望，飽覽了濃濃的秋色，不禁逸興遄飛，發出了深情的讚詠。開頭就連用了四個屬對工整的排句，鋪述江天的景色，有如貼錦、刺繡，使得江山秀色更加集中，更爲動人。萬里長江止息了駭人的卷雪驚濤，靜靜的向東流去。在月光的照映下，反射出銀色的光澤，就像平鋪著一條白色的綢帶。遠處的青山肅穆地矗立在江邊，蒼茫的夜色把它映襯得更加翠綠。（注二七）前兩句是從大處落筆，描繪山川，取神於靜穆，三、四句則著眼於刻畫具體景物的動態美，使二者大小相形，動靜相映，增加了層次和變化的美感。幾片征帆東去如箭，一泓山泉直瀉如電，這是多麼健捷的景觀啊！置身其間，能不令人神觀飛越嗎？五、六句也是排偶句法，轉寫天際的秋色，同樣充滿了詩情畫意。晚霞收盡，天氣變涼，水氣凝成了白色的露珠。初升的新月，雖未團圞，卻也有欲圓之勢。因爲團扇是圓的，用它來形容待圓之月，故曰「初學扇」。寫了如珠的秋露和如珪的秋月，接下來就輪到秋天的寵禽——鴻雁了。周德清在徜徉水際，目送征帆的當兒，回首北顧，只見一行塞雁隱現天際。它是那樣高、那樣遠，看上去宛如懸在雲端的一縷細線，當作者把我們的目光引向無盡的碧天時，曲子也就戛然而止了。這種結法韻味高遠，俊爽有致，是很耐人尋味的。

周篤文說：從藝術手法上講，它採取大排偶法，將一些典型的景物整齊的組織在一起，用意象疊加的技法，直敘景物，不加評議。純用形象來感動讀者，征服讀者。在這一點上是很成功的。朱權曾用「玉笛橫秋」四字評價周德清曲子的風格，持論此作，可謂毫髮不爽了。

> 灞橋雪擁驢難跨。剡溪冰凍船難駕。秦樓美醞添高價。陶家風味都閑話。羊羔飲興佳。金帳歌聲罷。醉魂不到藍關下。

《潯陽即景》第二首是抒寫心中的感想，風格和第一首大異其趣。它一變直筆白描的技法而大量徵引典故。開頭四個偶句，幾乎句句用典。「灞橋雪擁驢難跨」，這是反用鄭綮「詩思在灞橋風雪中、驢子背上」的典故，以言其尋詩無分。「剡溪冰凍船難駕」，這是反用王子猷雪夜乘舟造訪戴逵的故事，說明自己訪友不成。「秦樓美醞添高價」，秦樓楚館，指妓女的居所。美酒價高，也不能盡狎邪之遊興。「陶家風味都閑話」，陶家，指他的鄉鄰陶淵明，門植五柳，清貧度日，性嗜酒，而家貧不能恆得。對於這種隱士的清苦生涯，自己也不能耐受。詩人當不成，名士作不得，妓院玩不起，隱士當不了。四者無一遂，豈不「煩煞人也麼哥」！那麼何以自遣呢？歷來的文士受到挫折後，常常走上放浪形骸以通其狂惑之路。周德清在這裡開出的解脫方法，也不過是歌場征逐，杯酒流連的老路。喝夠了羊羔美酒，聽罷了金帳歌聲，陶然一醉，以遺浮生。唐、皮日休《藍田關銘》云：「若爲天下之樞機，萬世之闔闢者，非茲關而莫守也。」歷史上多少興亡成敗，榮辱浮沈都從這裡幕啓幕落，可見藍關戰略地位的重要。「醉魂不到藍關下」，表示一種鄙棄功名利祿的思想。這支曲子的基調是頹唐的，當然不值得效法。但是在當時異族暴力及不平等的統治下，這些名士在疏狂的背後，仍隱含著不肯與當政者同流合污的傾向，也是文人清高思想的表現啊！

周篤文說：從語言藝術上來看，此曲音律調ⅴ，吐屬俊穎，極有情致。

這兩首《潯陽即景》的曲子，一寫所見，一寫所感，皆風流儒雅，文采煥然。代表了元曲中整飭典雅一路，它與恣情嬉戲、多雜方言的本色派是有所不同的。

※　※　※　※

〔中呂〕朝天子　秋夜客懷

月光。桂香。趁著風飄蕩。砧聲催動一天霜。過雁聲嘹亮。叫起離情。敲殘愁況。夢家山。身異鄉。夜涼。枕涼。不許愁人強。

所謂秋夜客懷，是說遠離家鄉，客居他鄉，因秋夜景色而生的感懷。秋本是感傷的季節，長夜漫漫更容易觸動愁腸，加上身分是客，這份淒涼哀感也就可想而知了。

傅正谷、劉維俊說：這是一首遊子懷鄉的抒情詩。作者通過秋夜的月光、桂香、砧聲、雁聲，創造了一種悲涼的氣氛和清幽的意境，表達了遊子思念家鄉的離愁別恨。

「月光」三句，純是寫景，描寫秋夜的月色。桂花飄香，秋意正濃，正是「三秋桂子」時節，月光才分外明亮。此時此刻，遊子思鄉之情也彷彿隨著桂香而飄向了遠方。這裡，作者首先創造了一個秋夜客懷的清幽靜寂而又情意綿綿的環境。

「砧聲」一句，描寫月夜砧聲的淒涼。砧聲，是心聲，也是情聲。夜深人靜時，砧聲動人心。在詩人的筆下，砧聲總是和秋思聯繫在一起的；如再伴著明朗的月色，就更能勾起人們的愁思。李白詩：「長安一片月，萬戶擣衣聲。秋風吹不盡，總是玉關情」（《子夜吳歌》之三）。李煜詞曰：「深院靜，小庭空，斷續寒砧斷續風，無奈長夜人不寐，數聲和月到簾櫳」（《搗練子令》）。張若虛詩曰：「玉戶簾中捲不去，擣衣砧上拂還來」（《春江花月夜》）。都是用砧聲和月色來描敘愁思的生動例子。周德清在此說的是「砧聲催動一天霜」，這一句整個地扭轉了前三句恬和寧靜的氣氛。那滿天的寒霜是聲聲砧聲催動而凝成的，在如此明月當空，寒霜滿天之時，砧聲隨風送入耳中，怎能不倍增遊子思鄉的愁苦呢？是景語，也是情語；融情於景，惻人肺腑。

「過雁聲」三句，描寫遊子的離情愁況。雁本來是人互通消息的象徵。秋深霜濃，大雁南飛。嘹亮的雁鳴聲喚起遊子的離情；而它又如一把重錘，敲在遊子的心上，把遊子的心都敲碎了。「敲殘」二字，把遊子內心的極度愁苦，生動的描繪出來。這一「敲」字，確有千萬斤的感情力量。而「過雁聲嘹亮」，也是和寫月夜的謐靜相互映襯。夜深人靜，才更顯出雁聲的嘹亮；而唯其雁聲嘹亮，才更顯得月夜更深的謐靜。

「夢家山」兩句，描寫遊子對家鄉的思念，點出秋夜客懷的主題。一個「夢」字，說明遊子思鄉的心情是何等急迫，何等痛苦！

「夜涼」三句，描寫遊子內心的淒涼。「夜涼」，說明夜已很深，寒氣襲人。「枕涼」，固然因爲「夜涼」，但更主要的是人不安寢所造成的。它說明夜雖已深，但遊子思鄉正切，愁苦欲絕，不能入睡，致使床空枕涼。秋夜寒冷，原是客觀存在的自然現象，但「枕涼」，則兼有自然和人爲的兩個方面。而不管是「夜涼」，還是「枕涼」，主要是在說明遊子內心的無限淒涼。遊子的內心越是淒涼，就越感到「夜涼」、「枕涼」；越感到「夜涼」、「枕涼」，就越增加遊子內心的淒涼，以致達到心都涼透了的程度。這才有末句的「不許愁人强」。「不許」，這是外界環境對遊子內心感情的强制，也是遊子秋夜客懷不能自主的集中表現。

傅正谷、劉維俊說：此曲在寫作上，作者善於寫景抒情。寫景，主要是寫動景，月光、桂香，在隨風飄盪；砧聲、雁聲，是打破深夜沈寂的音響。它們從視覺、嗅覺、聽覺上，勾起了遊子的離情愁況。寫情，則主要是寓情於景，並隨之一步步深化，直至無限淒涼愁苦，再也不能自制。作者還善於遣詞造句，「催動」、「敲殘」、「不許」等詞，都很有份量，很見功力。又，作者是個音韻專家，所以協韻精當，音節鏗鏘，富於節奏感和音律美。

※　※　※　※

〔中呂〕紅繡鞋　郊行（三首之二）

穿雲響一乘山轎。見風消數盞村醪。十里松聲畫難描。楓林霜葉舞。蕎麥雪花飄。又一年秋事了。

趙明分析這首小令說：四個山箭做的管樂器發出穿雲透霧般的響聲；幾盞村釀薄酒入肚，一經風吹便酒意消散。一、二句寫他郊行中飲得村人釀酒，又聽山間管樂。在表達形式上頗爲講究：他不是依照事情本來的始末，先說吃酒，後說聽樂，而是先說道中聞樂，後說迎風聞樂而酒意全消，讓人們去體味他是酒意微醺中上路的。在這一對偶句中，亦採用倒裝句手法，先將結果說出，給人以深刻印象。這兩句無論從句中的結構還是從兩句的關係上看，作者都是刻意造成一種先聲奪人的氣勢，而且也符合人們先聞聲後知音、先聞聲後清醒的常情。這開首兩句，彷彿讓人看到一位微醺的行者，在深山曠野中，忽聽箭響，迎風酒醒的樣子。「十里松聲畫難描」，是寫他酒醒後，忽聞陣陣松濤聲，忽見綠鬱鬱一片松林的喜悅。「畫難描」三字，固然包括松濤聲難描難繪，更包括著這山野的一切聲響，一切美景都難描難繪。有上下文具體的描繪，再加上「畫難描」來虛括一筆，很是發人遐想。

「楓林霜葉舞，蕎麥雪花飄」，這是描寫環視周圍的景色。那經霜的楓葉火一樣紅，那蕎麥的小花雪一樣白，它們迎風晃動飄舞像大片大片的紅色火海，白色的雪浪。這個對偶句，寫得色澤鮮艷，生氣勃勃，非常漂亮。再聯繫上文的「十里松聲」，那大片濃綠的松林，這畫面的色彩更是妙極了。

「又一年秋事了」，這句是緊承著「蕎麥雪花飄」，很自然地想農家的「秋事」，也是自己面對秋色的感慨。農民春種秋收，年復一年，自己呢？雖無大的收穫，卻也在平安、閒適中又度過了一年。這個「又」字，很關緊要，其中微露出作者年復一年無大作爲的無奈，與僅爲生活而奔忙的一絲悲涼。這或許是他們這類不得志的文人，在放情山水中也無法解脫黑暗社會加在他們身上的壓抑感吧！

綜觀全曲，周德清透過秋季郊行所見、所感的景色描寫。其獨到之處，一是作者抓住秋景中那些色澤鮮豔的景物來寫，寫大片的松林、楓葉、蕎麥，形成墨綠、火紅、雪白三種色調的畫面，讓人頓覺清新美好、賞心悅目。二是作者不從靜中來寫這些景物，而是將這些景物都置於「風」的吹動之中，讓松發出濤聲，讓楓葉舞動，讓蕎麥飄搖，這樣不僅聲色俱壯，而且給人一種生機勃勃的流動感，讓人感到大自然的躍動。二者結合，就讓人不只看到大自然美好的色彩，而且感受到它生命的搏動。這樣的畫面，可謂神形皆備，妙手天成。

※　※　※

〔中呂〕滿庭芳　看岳王傳

披文握武。建中興廟宇。載青史圖書。功成卻被權臣妒。正落奸謀。閃殺人望旌節中原士夫。誤殺人棄丘陵南渡鑾輿。錢塘路。愁風怨雨。長是灑西湖。

閻鳳梧、夏連保二位分析這首曲詞說：前三句破空而來，氣勢非常雄壯。「披文握武」四字，兀突而起，把一個文武雙全，氣宇軒昂的英雄形象生動推到了讀者的面前。接著，作者用兩個對句，高度讚揚岳飛的不朽功勛：「建中興廟宇，載青史圖書！」是他，率領愛國將士，浴血奮戰，屢破金兵，收復了中原的大片失地，使得敵人聞風喪膽，萎靡不振的南宋小朝廷因此才有了一點復興的氣象。岳飛的功績垂之於青史，人人皆知。然而，就在他要「駕長車踏破，賀蘭山闕。壯志飢餐胡虜肉，笑談渴飲匈奴血。待從頭收拾舊山河」的時候，「功成卻被權臣妒」，那個誤國害民的賣國賊秦檜與畏敵如虎的宋高宗趙構，互相勾結，狼狽爲奸，一日降十二道金牌，把他從抗敵的最前線召回。在這裡，作者用「卻」字，筆鋒一轉，向人們交代岳飛被害的原因。句中著一「妒」字，十分生動地刻畫出奸賊秦檜妒賢害能的醜惡嘴臉。岳飛的被害，當然並不僅僅是因「權臣」的妒嫉，而是以宋高宗趙構和秦檜爲首的偏安派，出於私利談「金」色變，不允許人民起來與敵人抗爭的結果。「正落奸謀」一句，說明岳飛被召回，完全是一個陰謀，是偏安派早已設下的一個圈套。這就把矛頭暗中指向了最高統治者。不僅指出岳飛悲劇的根本原因，同時也揭示了南宋王朝覆滅的必然結果。

岳飛被秦檜以「莫須有」的罪名，在杭州風波亭殺害，偏安派的陰謀得逞了，南宋朝廷據錢塘以爲樂國，上下宴安，再也沒有收復失地的信心了。「閃殺人望旌節中原士夫，誤殺人棄丘陵南渡鑾輿」，中原那些盼望王師到來的忠義之士被拋閃的好苦啊！丟棄了祖先陵墓而倉皇南渡的小皇帝趙構，本來就沒有收復中原的意思，岳飛死後，收復之事也就更無從談起了。作者飽含感情，用「閃殺人」和「誤殺人」兩個極其通俗而生動的詞語。分別從朝廷和「遺民」兩個角度，描寫岳飛慘遭殺害所造成的嚴重後果，進一步譴責了以趙構、秦檜爲首的偏安派的罪惡，表達了自己的愛憎之情。

岳飛雖被殺害了，但百姓是永遠懷念他的。且看通往風波亭的錢塘路上，風颭得那樣淒怨，雨下得如此哀愁，蒼天爲之哭泣，湖水爲之動容。作者以「錢塘路，愁風怨雨，長是灑西湖」三句收結全篇，把對岳飛的深切緬懷和對偏安派的憤怒譴責，寓之於形象的畫面中，給人們留下了無限的回味空間。

※　※　※　※

〔中呂〕陽春曲　秋思

千山落葉巖巖瘦。百結柔腸寸寸愁。有人獨倚晚妝樓。樓外柳。眉葉不禁秋。

夏連保、閻鳳梧二位分析這首曲詞說：這是一首寫閨愁的小令。曲子的內容和寫法，都與傳爲李白所作的《菩薩蠻》詞有些相似。

首句「千山落葉巖巖瘦」，寫愁人眼中的景色，雖只有七個字，讀來卻叫人有無限傷心之感。「千山」二字，囊括世界。落葉之無情，極易使人聯想起杜甫「無邊落木蕭蕭下」的詩句。水瘦山寒，滿目荒涼淒然，是多麼叫人傷心銷魂的景色，更何況這是愁之所見，而此愁人，又是一個滿腹心事的弱女子！古人有「一葉知秋」的說法。一葉的凋零，對於滿懷愁思的人來說，已是不堪其苦。那麼，萬木的蕭條，一切有情的生命，面臨著大自然無情的摧殘的情景，對於一個多情女子心靈上造成的打擊，是如何的沈痛，讀者也就不難想像了。

次句緊承上句驚心動魄的描寫，點明人的內心世界，愁是無法排解的，蕭瑟凜冽的秋色，愈增加主人的那份無可訴說的悲傷情意。「百結柔腸寸寸愁」，不僅寫愁的程度，而且狀愁的形態，與前句的景物描寫映照生輝，宛然相得。

「有人獨倚晚妝樓」一句，承上啓下，是全曲的關鍵。因爲這支曲子所寫的，全是女子登樓的所見和所感。對於前兩句的描寫來說，這是倒敘。倒裝的原因，是由於曲子韻律上的需要。因爲照情理講，女子的梳妝盡可以有早晚之分，但梳妝的地點，卻絕不會有「早妝樓」與「晚妝樓」的區別。因而要把這一句的詞序理順，就只能說「有人獨倚妝樓晚」。而「獨倚妝樓晚」給人的印象是連梳洗都沒有進行，就在失魂落魄之中不知不覺「獨自」倚靠著妝樓，直到夕陽西下。可見這句中所寫的愁，來得非常沈痛。痴情女子，未曾梳妝，就心事重重「獨倚」妝樓到傍晚，這是全無目的的消磨了。這是怎樣的一種落魄情懷，畫面上的人該是受著怎樣摧殘人心的絕望折磨呀！

「樓外柳，眉葉不禁秋」既是寫景，又托物喻意。柳，在詩人的筆下，常用來形容情意綿綿的美麗女子。因此，提起柳條柳葉，人們往往會聯想到長袖蛾眉，柔情不禁的女子。秋景慘澹，山川寂寥，樓外之柳，自然免不了凋零枯落的命運。女子以「不禁秋」的樓外之柳自喻，字裡行間，充滿了某種身世之感。這無疑就是女主角內心愁苦的根源所在，而詩人偏偏不把這一點明說，只在全曲的結穴處，用兩句富於象徵性的景語輕輕一點，然後戛然收結全曲，給人留下了無限的想像空間，這是作者的高明之處。

就全曲的作法來看，運用倒敘的手法，先寫所見之景及人物的心情，然後才點出主角所在的地點，不僅使景物及觸景所生之情表現得更爲突出，同時也使「愁」能上下貫徹，增加它的份量。最後兩句，輕遶筆墨，再寫景物，語義雙關，更是豐富了全曲的內容。

※　※　※　※

〔中呂〕陽春曲　別情

月兒初上鵝黃柳。燕子先歸翡翠樓。梅魂休暖鳳香篝。人去後。鴛被冷堆愁。

夏連保、閻鳳梧二位分析道：此曲寫別後閨中情思。首句點明時間：「月兒初上」，才入夜也；「柳色鵝黃」，早春景也。初春入夜，乍暖還寒，一勾冷月，懸掛柳梢，這就是詩人所描繪的意境。使人不禁想到朱淑眞「月上柳梢頭，人約黃昏後」的斷腸詞句。實際上，柳色的鵝黃，在月光下是看不出來的，而作者特意點出「鵝黃」二字，卻眞實地描繪出夜色漸漸降臨，天色由明徐徐轉暗的情景。月亮在不知不覺中爬上了天空，鵝黃的垂柳，隨著月兒的升起，色彩慢慢消失了，只留下一片朦朦朧朧的影子。於是，月亮也就顯得特別突出了。而月亮卻又是極易引起人們綣綣情思的。對於離別之人來說，望月而懷人，月明情愈濃，是十分自然的事情。

第二句寫燕子，寫翡翠樓，交代詩中主角的身份和心情。燕子冬去春來，應節而歸。雌雄頡頏，飛則相隨。在詩人的筆下，它們經常被作爲美好愛情的象徵而歌詠之。很明顯的，這裡詩人選擇燕子這種足以引起人們美好聯想的物象來寫，是賦予它極爲豐富的美學含意。燕子雙雙對對，而離人卻天各一方，這是一層意思；雙雙的燕子，又偏要並棲在思婦的樓頭，這又一層意思；燕子「先歸」，應時應節，而心上的人卻尚無消息，所謂人歸落「燕」後，辜負了這靑春時光，這是又一層意思。作者透過這樣的層層對比，一步一步地向人揭示出樓頭思婦內心的孤獨和悲傷。

第三句承接「翡翠樓」三字，轉入對屋內景物的描寫，進一步刻畫女子相思的痛苦。鳳香篝，是閨中用來薰香取暖的鳳形薰籠。它薰出來的香味，幽幽如梅花的暗香。而梅花也是蕩人心魄，觸人相思之物。梅魂，這太容易勾起女子的愁思了。所以，作者用「休暖」兩個充滿感情色彩的字眼，來表現女子愁思難排，不願意想卻又不能不想的複雜內心世界。鳳香篝，你熄了吧，不要再薰了，休要再飄出那如梅魂般的裊裊香烟，它總是牽動我無邊的相思，使我不能入夢，全曲的感情，至此已達到了高潮。於是，作者才用「人去後」三字，逗出離別的意思來，點明之所以產生如此淒然愁緒的根本原因，把感情再向前推進一步。「鴛被冷堆愁」一句，放在「人去後」三字之後，說明自離別之後，淒苦不堪，日日如此。「堆愁」二字，不僅寫出了女子意懶心灰之情，也寫出了她無心收拾打扮之態。

就全曲的作法來看，前三句著重於「景」的描寫，最後兩句點明題旨，則相對側重於「情」的抒發。在寫景方面，作者拈取月、柳、燕等能夠引起讀者豐富聯想的物象進行描繪，從而構成一幅十分幽美的意境。思婦的情緒變化，完全通過意境的描繪傳達給讀者。句句都寫離情。但卻無一字道破它。因而顯得尤其含蓄蘊藉。這是高度融情於景。最後兩句點題，也是情中有景。全曲的感情發展，由淡而濃，風格清雋，是一首很有特色的小品。

※　※　※　※

〔雙調〕蟾宮曲

倚篷窗無語嗟呀。七件兒全無。做甚麼人家。柴似靈芝。油如甘露。米若丹砂。醬甕兒恰才夢撒。鹽瓶兒又告消乏。茶也無多。醋也無多。七件事尚且艱難。怎生教我折柳攀花。

夏連保、閻鳳梧二位分析說：全曲從日常生活的角度，反映了下層讀書人的拮据窘迫，當是作者生活狀況的眞實寫照，具有史料上的價值。

「倚篷窗無語嗟呀」，開頭一句，刻畫一個窮困潦倒的讀書人形象：他倚靠著船窗，愁眉苦臉，無可奈何地凝望著遠處，半晌不說一句話，只是不停地長吁短嘆。他有什麼心事？爲什麼如此憂鬱煩惱？「七件兒全無，做甚麼人家！」這兩句交代「無語嗟呀」的原因。日常生活中的柴、米、油、鹽、醬、醋、茶七種必需品全都沒有，還怎樣維持生活？「做甚麼人家！」這發自內心的獨白，是對現實社會提出的質問和控訴。「柴似靈芝，油如甘露，米若丹砂」三句，分別用靈芝、甘露、丹砂爲喻，構成排比句，眞實地反映了物價昂貴的現實狀況，指出這是導致「七件兒全無」，家不成家的根本原因。據史載，在當時「歷歲滋久，鈔法偏虛，物價騰貴，奸僞日萌，民用匱乏」（元順帝至正十年《變鈔法詔》）。《元史新編》說：變鈔法「行之未久，物價騰貴十倍。」所以，「變鈔」給百姓帶來深重災難，周德清身歷其中，不僅僅是了解而已，且是深受其害。可見，「柴似靈芝，油如甘露，米若丹砂」並不完全是藝術上的誇張，而是完完全全的歷史寫眞。作者眞實地描寫這種黑暗現實，也一針見血地揭示元蒙統治者腐朽的本質。從而讀者可以想到，這絕不是某一個家庭的「七件兒全無」，而是整個社會生民塗炭，民不聊生的縮影。

「醬甕兒恰才夢撤，鹽瓶兒又告消乏」，物價的騰漲，造成了生活的困頓。作者用「恰才……又……」的句式，表現生活上已經發生的一個個艱辛。困難像迎面飛來的黃蜂，一個接一個，使人難以招架。「茶也無多，醋也無多」兩句，則是尙未來臨但即將降臨的艱難。在這裡特別值得一提的，是周德清選材上的藝術。柴、米、油、鹽、醬、醋、茶，都是生活中的小事，又是維持生命不可或缺的大事。說它小，是因爲在正常情況下，這些事情都不應當是無法解決的，尤其不可能是「七件兒全無」的；說它大，沒有了這些東西，生命確實無法延續，無論什麼人，都是一刻也離不了的。詩人就是這樣，選取生活中的細微的小事來寫，反映了一個極大且關係到國計民生的大問題，這對一個家庭來說，這「七件兒全無」，自然是做不得什麼人的了。那麼，對於當時生民塗炭的社會，人民生活在水深火熱之中。「七件事尙且艱難」，這個國家還能否維持下去，讀者自然可想而知了。

最後一句透露出作者的生活情趣，是一句富於個性的語言。「折柳攀花」，風流浪子式的生活，當然是庸俗和消極的。但必須看到，這種庸俗的生活態度，卻是有著深刻的社會根源。元代蒙古封建統治者把知識分子列爲下下等人，有所謂「九儒十丐」的說法。一些走上仕途的文人，也往往受到統治者的歧視。他們的思想長期處於壓抑狀態，因而處世態度也往往變得消極起來。他們或隱遁山林，或沈湎於聲色，或杯酒澆愁、放浪形骸，或乞食於人、淪爲奴僕。可見，「折柳攀花」，是元朝那個特殊的時代，一般知識分子都過著一種扭曲的生活。社會的黑暗，竟至如此地步：艱難的生活，逼得人連消極逃避都難以辦到了。「怎生」二字，看似戲謔的反問，仔細品味，就會發現，其中包含了許多的難言辛酸，有著十分豐富而深刻的含意。

周德清所作散曲，今存有小令三十一首，套數三套。其題材或寫景抒情，或評價歷史人物，或抒寫閨情。音律嚴謹工整，善於遣詞造句，風格清麗、雄放。除去以上賞析的八首小令外，「韓世忠」、「誤國賊秦檜」、「張俊」三首，是詠史作品，對前朝的忠奸，作出强烈的褒貶，和前引的「看岳王傳」有異曲同工之妙；以寫景爲主的，則有「春晴」、「春晚」及「郊行」三首；借景抒情的有「冬夜懷友」、「別友」、「有所思」及「有所感」四首；「書所見」、「贈歌者韓壽香」、「嘲歌者茶茶」及「贈小玉帶」屬於即興之作；「雙陸」一套，就當時的博棊作了淋漓盡致的發揮，他以史事比況其間的爭戰智謀，引用了「蕭何追韓信」、「敬德趕秦王」、「關雲長獨赴單刀會」、「漢高皇對敵楚項籍」、「諸葛亮要擒司馬懿」、「孫臏伏兵」、「孫武挑兵教習」、「呂望兵臨孟水」、「呂布遭圍下邳」、「函谷孟嘗歸」、「鴻門樊噲急」、「跳溪劉備」、「火燒曹孟德」、「拒水張飛」、「諸葛縱擒蜀孟獲」等，精采至極，結尾筆鋒一轉，說：「翻雲覆雨無碑記。則袖手旁觀笑你。休把色兒嗔。宜將世情比。」借史說棊，又借棊引出「世情」爭戰機變的事實。周德清以爲作詞要「明事隱使，隱事明使」，這首可當之無愧。

整體觀之，周德清流傳至今的作品雖然不多，但經由上文的分析，卻也不乏聲情並茂的佳構，所以我們可以說，他的曲詞在藝術造詣上是具有賞玩價值的。

【注釋】

注一　見隋樹森《全元散曲》序。

注二　「去上上者必要去上」，依上文文例，當作「去上者必要去上」。

注三　「一」、「不」二字都是「入聲作上聲」。

注四　「那裡有」爲襯字，以（　）表示，後同。

注五　「煞」是「入聲作上聲」字。

注六　見《北曲新譜》二十七頁。

注七　見《北曲新譜》一五二頁。

注八　見《北曲新譜》一五三頁。

注九　見《北曲新譜》二六二頁。

注一〇　《北曲新譜》「沈醉東風」末句作「十十仄，平平去夲」，見二八四頁。

注一一　如胡祇遹「月底花間酒壺」一首，末句「一任他斜風細雨」；「漁得魚心滿願足」一首，末句「（他兩個）笑加加（的）談今論古」。關漢卿「夜月青樓鳳簫」一首，末句「問別來十分瘦了」。張養浩「披一領熬日月耐風霜道袍」一首，末句「（只落得）無是非清閒到老」。趙善慶「氈帳冷柔情挽挽」一首，末句「又越添眉淚眼」。馬謙齋「瓮甌內瀲灩莫掩」一首，末句「歸去來長安路險」。張可久「錦被堆春寬夢窄」一首，末句「春已聽榆錢斷買」；「狂客簪花起舞」一首，末句「强似聽西園夜雨」。……這些早期北曲名家，第三字也都作「平」。

注一二　鄭因百先生《北曲新譜》凡例中說：

舊譜四種，各有得失。《太和正音》最爲簡要，但僅有例曲而毫無說明。《北詞廣正》論述較詳，而往往辨格不清，分體煩瑣，致令學者茫然無所適從。《九宮大成》成於樂工之手，拘守樂章，不通文理，強爲句讀，亂分正襯，四種之中，此爲最劣。吳氏《簡譜》，大體因襲《太和正音》，略有發明；但疏於參證，立論每嫌武斷。

注一三　凡入聲派入三聲的字，直接標用平上去，不詳注「入作平」「入作上」「入作去」。凡不合《北曲新譜》音律的字，用括號（　）標出。後同。

注一四　「灞」字《中原音韻》失收，今依廣韻訂爲去聲字，後文凡有此種情形不另注出。又「剡」字廣韻上聲「時染切」，《中原音韻》失收。因「剡」字聲母屬全濁，《中原音韻》濁上通常收入去聲，所以今訂爲「去」聲。

注一五　凡襯字平仄也一一注出，該字用中括號〔　〕標出，後同。

注一六　「深」字廣韻平去兩音，去聲字義爲「不淺也」，在此可通且合律，故取去聲音讀。

注一七　鄭因百先生《北曲新譜》「沈醉東風」句式爲七句：七乙◦◦七乙◦◦三・三◦◦七乙◦◦七◦◦七乙◦◦周德清四首「沈醉東風」句式都是：六◦◦六◦◦三◦◦三◦◦四◦◦七◦◦七◦◦。今考早期元曲作家「沈醉東風」即有兩體，胡祗遹「月底花間酒壺」、「錦織江邊翠竹」，盧摯「雨過分畦種瓜」、「奴耕婢織生涯」、關漢卿「夜月青樓鳳簫」、「面比花枝解語」……都是六◦◦六◦◦三・三◦◦四◦◦七◦◦七◦◦句式，今因無曲譜可資參考，姑錄其平仄。後三首同。

注一八　《北曲新譜》「蟾宮曲」後云：末句之後可增四字句，即照末句平仄，句數多少不拘。此處平上平平。去上平平兩句即爲增句。

注一九　《北曲新譜》云：第八句偶可省去上三字，此首即是。又末句六字，鄭譜爲七字，考元初作家如商衜「遠寄」一首，「一枝花」末句「美滿夫妻相似」；奧敦周卿「遠歸」一首，「一枝花」末句「豈避千山萬水」也是六字句，今因無曲譜可資參考，姑錄其平仄。

注二〇　第八、九兩句是六六句法，《北曲新譜》引朱庭玉「粱州第七」列此爲另一體，以爲「俱是元初舊格」。下九句字數與句式也多與《北曲新譜》不同，如十三、十四兩句「十平・仄𠀤」，周德清爲「平上。去去」，朱庭玉作「去去。平去」，似另有所本，今姑錄其平仄。

注二一　周德清「贈小玉帶」有「調笑令」一曲，「調笑令」即「含笑花」，今一併錄出。

注二二　《全元散曲》周德清「雙陸」一首「小沙門」作「小拜門」。「小拜門」爲雙調曲，與此越調不合，且句式亦異，當更正。

注二三　第五、六兩句爲增句，平仄照著二句，詳見《北曲新譜》頁二六〇。

注二四　《北曲新譜》越調「收尾」中說：「第二句變七乙者居多，……雙調此章第二句亦有作七字者，詳見雙調。」周德清二首都是七乙句法，雙調「收尾」第二句爲「十十十，平平去𠀤」，周德清與之合，今即以此七乙句法爲準。

注二五　魯國堯先生《白樸曲韻與中原音韻》一文，就元曲四大家之一的白樸曲韻作一分析，發現「東鍾」與「庚青」、「支思」與「齊微」、「歌戈」與「蕭豪」、「眞文」與「侵尋」、「廉纖」與「桓歡」韻間都有通叶現象，例外押韻情形頗多。

注二六　李新魁先生《中原音韻音系研究》一書中說：「依我們看來，周氏對入聲的歸派和實際語言實在不很符合：以之來和現代北京音比較，則在派入平聲和上聲上有出入；以之來和洛陽音或其他某些方言比較，則後者只派入陰、陽平，不作上、去，周氏的分派（特別是派入上聲的字）實在是可以懷疑的，它能否代表實際語言的眞實情況是不很可靠的。所以龍爲霖說他與諸家所分又復不一，邵長衡《古今韻略》例言上也批評他說：『周德清作《中原音韻》，元無入聲，以入聲十七韻分配諸韻，多所未安。』因此，我們懷疑周氏在入聲字的分派上並不能正確反映出當時的語言實際。這就是葛中選所說的假如認爲周氏的入派三聲就是中原的雅音，眞正『何其謬也』。」

注二七　周篤文以爲「淮山」是「鞋山」的壞字，他說：淮山，本指淮水兩岸的山峰，這在九江是看不到的。然而，九江附近卻有一座鞋山。《讀史方輿紀要》九江府條云：「大孤山，唐顧況云：大孤山盡小孤出。蓋彭澤之小孤山與此山相望也。山形似鞋，一名鞋山。」那麼站在潯陽江邊近看大孤，遠望小孤是可能的。「淮山數點」之語，疑是鞋山之壞字。周德清在其〔天淨沙〕《舟阻女兒港》曲中，就曾吟詠過「廬山面已難尋，孤山鞋不曾沈」之語。孤山就是鞋山。爰爲指出，以供參考。

第五章　結　論

俗話說：「積沙成塔，聚水成河」，學術也是經由多數學者的長年努力才能有所成就的。一時代有一時代的文學，元朝的代表文學就是北曲，北曲能從不登大雅之堂的地位，至今一轉而成爲受到學術界所重視的「曲學」，前人開榛闢荆、篳路藍縷與後人踵事增華、研機益精之功都是不可磨滅的。本書謹就「曲學」先進——周德清——其人、其學、其作品做一全面性的探討。

周德清一生最大的學術成就，在於他的曲論和曲韻創作《中原音韻》，《中原音韻》其實屬於他曲學理論部分主張的具體呈現，只是今日已由附庸而蔚爲大國，而特別受到重視。周德清的曲論要點，可概括分爲下列四項：

一、作樂府必先正語言，而語言要以中原之音爲準。

二、曲作的押韻，不可任意，應當以《中原音韻》所分的十九部爲規範。

三、每首曲詞所用的曲牌都有專屬的宮調，因每一宮調的調性不同，所以曲詞要配合宮調調性而選用適合的曲牌來塡寫。

四、作樂府曲詞除了要明腔、識譜、審音外，知音、造語、用字、用意等也需講究。

周德清曲論的價值，從音韻學的角度看，《中原音韻》一書是明清曲韻韻書的鼻祖，是考訂元代北方音系的重要依據，也是上溯唐宋、下啓明清音韻的橋樑，其中「入派三聲」、「平分陰陽」、「濁上變去」、「濁音清化」、「舌尖元音出現」及「中古韻類的合併」等現象，都爲近代音史上的重要演變找出了源頭，是極其可貴的音韻資料寶庫。從曲學史的角度看，周德清的曲論已建立起作詞正音的矩範，而被後代北曲作家奉爲圭臬；他又闡揚樂府應當音樂、詞意、字音兼顧，爲通俗的唱曲設下了嚴格的審美條件；他的曲論，更爲後代論曲者提供了思考的模式，而影響後代曲論的走向。

周德清的曲作並不豐富，流傳至今的只有三十一首小令，三組套數和一些殘句。從這些作品中，我們可以發現他對自己所訂下的曲律，如用韻、造語、對偶等都能嚴格遵守；至於細節的平仄部分，雖然偶有與今人所訂曲譜不盡一致的情形，但終究只佔了極小的比例，並不構成太大的瑕疵。而根據今人的研究，他的重視曲律，相形之下，已遠超過元曲大家中的關漢卿和白樸（注一），所以我們可以認定周德清是一位曲論家，也是一位曲論的實踐者。至於周德清的曲作，元人曾讚爲「詞律兼優」、「當時之獨步」（注二），現代學者也以新的鑑賞角度品評他的作品，都給予極高的評價，我們雖然不能就此將他與有大量作品傳世的元曲四大家相提並論，但說他是一位深具藝術修養的元曲作家，當是不爲過的。

周德清生當異族入主中國的時代，遭逢「九儒十丐」的不平社會，沒有優越的家世，也缺乏友朋的提攜，他卻能以其慧眼，針對當時新興的通俗文學，做有條理、有系統而深入的研究，發出前所未有的曲學理論，編出合於音理的曲韻韻書，有時起興，也自製幾首樂府曲詞，消遣自娛。他在壯年出遊，而中年失意歸故里，晚年卻又從事族譜的撰修工作，周德清似乎知道自己這一生該做什麼，既盡了人事，又何必企求上天的福報！他的德業在有生之年並未受到應有的尊重，但身後的影響力卻與日俱增。文末謹以一句讚美的話表達對他的崇敬——周德清是一位求美善又務實的文人典範。

【注釋】

注一　見廖珣英《關漢卿戲曲的用韻》、魯國堯《白樸曲韻與中原音韻》二文。

注二　二語見《中原音韻》歐陽玄與瑣非復初序。

參考書目

一、韻書之屬

廣韻　宋　陳彭年等　藝文印書館
集韻　宋　丁度等　學海出版社
古今韻會舉要　元　熊忠　大化書局
中原音韻　元　周德清　藝文印書館
中州樂府音韻類編　元、卓從之　中華書局
洪武正韻　明　樂韶鳳等　商務印書館
詞林正韻　清　戈載　世界書局
曲韻五書　民國　汪經昌輯　廣文書局

二、專著、論文集之屬

錄鬼簿　元　鍾嗣成　盤庚出版社
元史　明　宋濂等　藝文印書館
錄鬼簿續編　明　賈仲明　北京大學影印本
太和正音譜　明　朱權　學海出版社
觀堂曲學名著八種　民國　王國維　盤庚出版社
曲錄　民國　王國維　藝文印書館
顧曲麈談　民國　吳梅　廣文書局
曲律易知　民國　許守白　郁氏印獎會
作詞十法疏證　民國　任中敏　西南書局
元曲研究　民國　賀昌群等　里仁書局
詞曲史　民國　王易　廣文書局
散曲概論　民國　任中敏　中華書局
南北詞簡譜　民國　吳瞿安　石印本
曲雅　民國　盧前　廣文書局
元劇聯套述例　民國　蔡瑩　商務印書館
中原音韻研究　民國　趙蔭棠　商務印書館

中國音韻學史　民國　張世祿　商務印書館
廣中原音韻小令定格　民國　盧前　中華書局
漢語史稿　民國　王力　科學出版社
中國戲曲聲樂論著叢編　民國　傅惜華編　學海出版社
曲學例釋　民國　汪經昌　中華書局
元明散曲之分析與研究　民國　李殿魁　華岡書局
南北曲小令譜　民國　汪經昌　中華書局
北曲小令譜　民國　羅錦堂　香港寰球文化服務社
中國文學家大辭典　民國　譚正璧　河洛圖書出版社
景午叢編　民國　鄭騫　中華書局
北曲新譜　民國　鄭騫　藝文印書館
中國古典樂曲之研究　民國　陳萬鼐　史學出版社
中國古典戲劇論集　民國　曾永義　聯經出版社
全元散曲　民國　隋樹森輯　明倫出版社
中原音韻概要　民國　陳新雄　學海出版社
說戲曲　民國　曾永義　聯經出版社

錦堂論曲　民國　羅錦堂　聯經出版社
北曲譜法—音調與字調　民國　曾達聰　文史哲出版社
中國古典文學論文精選叢刊　民國　曾永義等編　幼獅文化事業公司
中國古代韻書　民國　趙誠　中華書局
曲學　民國、盧元駿　黎明文化事業公司
中國語言學史　民國　王力　莊嚴出版社
漢語詩律學　民國　王力　宏業書局
中原音韻音系　民國　楊耐思　中國社會科學出版社
漢語音韻學　民國　董同龢　文史哲出版社
龍蟲並雕齋文集　民國　王力　中華書局
中原音韻音系研究　民國　李新魁　中州書畫社
音韻學研究第一輯　民國　忌浮等　中華書局
漢語語音史　民國　王力　中國社會科學出版社
韻文概論　民國　江建民　何毓玲　高等教育出版社
中國文學史　民國　葉慶炳　學生書局
中國文學講話　民國　葉慶炳等　巨流圖書公司

中原音韻音位系統　民國　薛鳳生　北京語言學院出版社
中原音韻新論　民國　高福生等　北京大學出版社
元曲新賞　民國　賀新輝等　地球出版社
讀曲常識　民國　劉致中　侯鏡昶　國文天地雜誌社

三、單篇論文之屬

中原音韻聲類考　民國　羅常培　中央研究院史語所集刊二本四分
釋中原音韻　民國　陸志韋　燕京學報三一期
中原音韻音系的基礎和入派三聲的性質　民國　趙遐秋　曾慶瑞　中國語文一九六二年七月號
關於中原音韻的音系基礎和入派三聲的性質　民國　李新魁　中國語文一九六三年四月號
六十年來之曲學　民國　賴橋本　正中書局六十年來之國學第五冊
民國以來的曲學　民國　賴橋本　中華文化復興月刊十卷一期
中原音韻中之作詞十法析論　民國　朱榮智　古典文學第二集
與中原音韻相關的幾種方言現象　民國　丁邦新　中央研究院史語所集刊五二本四分
中原音韻三題　民國　周維培　語言研究十三期
北叶中原南遵洪武溯源　民國　尉遲治平　語言研究第十四期

中原音韻兩韻並收字讀音考　民國　楊耐思　商務印書館王力先生紀念論文集